Jacques Languirand

No 1

Édition:
Les Éditions de Mortagne
250, boul. Industriel
Boucherville, (Québec)
J4B 2X4

Éditeur conseil:
Jacques Languirand
pour

Les Productions Minos Ltée

Diffusion:
Tél.: **(514) 641-2387**

Conception de la couverture:
Concept Art inc.

Illustration:
d'après Gustave Moreau

Photo de la couverture:
Image en tête

Dépôt légal:
Bibliothèque nationale du Canada
Bibliothèque nationale du Québec
4e trimestre 1989

ISBN: 2-89074-340-3

1 2 3 4 - 89 - 92 -91 90 89

Imprimé au Canada

À HENRIETTE TALBOT-LALONDE qui assure la réalisation de l'émission *Par 4 Chemins* depuis bientôt 10 ans;

et, à tous ceux et celles qui à divers titres — de réalisateur, d'assistant ou de recherchiste — ont non seulement contribué à la conception et au renouvellement de l'émission, mais aussi à inspirer, orienter, guider, soutenir, corriger, encourager, accorder, démêler, provoquer, stimuler, morigéner... bref, à *faire* son animateur: parmi lesquels ceux qui ont été attachés à l'émission pendant plusieurs années:

à commencer par RHÉAL GAUDET, qui en a été le premier réalisateur ('71-'72), puis JACQUES THIBAUDEAU ('73), JEAN BOISVERT ('74-'75), CLAUDE MORIN ('76-'77) RITA PICHÉ ('78-'79);

enfin, tous les autres *gens de radio* qui sont passés 'par 4 chemins', parfois même souvent repassés, avec toujours beaucoup d'empressement et de générosité:

DANIELLE BILODEAU, PAULETTE CARON, JACQUES COSSETTE, FRANCINE DUFRESNE, MONIQUE GAUTHIER, CLAUDETTE GRAVEL, SUZANNE GROLEAU, MARTINE JESSOP, CÉCYLE JETTÉ, MONIQUE LAFOREST, LISETTE LANTAGNE, DANIELLE LEBLANC, FRANÇOIS MATHIEU, MICHÈLE MERCURE, CHRISTINE OUVRARD, JEAN-PIERRE PAIEMENT, MARIE-FRANCE PAQUIN, LORRAINE PARADIS, HÉLÈNE PRÉVOST, FRANÇOISE PRUD'HOMME, MICHELINE RICHARD, JACQUES THIBEAULT et ALANA WOODS.

Affectueusement,

Jacques Languirand

Je remercie tout spécialement ma collaboratrice
Josée Des Trois Maisons
dont la compétence, le dévouement et la patience
m'ont été précieux pour mener à bien cette entreprise.

TABLE DES MATIERES

AVANT-PROPOS

«L'écrivaillerie semble être un symptôme d'un siècle débordé. Quand écrivîmes-nous tant que depuis que nous sommes en trouble?...»
Montaigne, *Essais,* Livre III, ch.9, «De la vanité».

Cette collection de livres-mosaïques veut prolonger la démarche que je poursuis dans l'émission radiophonique *Par 4 Chemins* que j'anime depuis maintenant plus de 18 ans [1]. Elle s'inscrit en fait dans ma démarche de communicateur: que ce soit comme professeur, conférencier, écrivain, psychothérapeute, animateur d'ateliers de croissance et de formation, ou encore comme animateur à la radio et à la télévision.

Cette émission allait devenir par la force des choses, au-delà de la dimension de divertissement qu'elle comporte, et pour répondre aux besoins d'auditeurs, que les cotes d'écoute définissent comme «éduqués», une plaque tournante d'informations et de réflexions – *tripatives* – sur notre époque, difficile mais passionnante à vivre. Jour après jour, j'ai donc abordé les

[1] Cette émission est présentement entendue du lundi au vendredi à 19 h 30 (20 h 30 dans les Maritimes), à la radio de Radio-Canada.

questions les plus diverses: de l'éclatement des repères à la veille du IIIe millénaire, au plan individuel comme au plan collectif, jusqu'à l'émergence de nouvelles valeurs et la nécessité de s'engager, de participer consciemment à l'édification d'une nouvelle civilisation: d'un *nouvel âge,* en passant par tout ce qui concerne la transformation individuelle...

À qui je m'adresse

À propos des auditeurs de l'émission *Par 4 Chemins* et du public auquel je m'adresse en général, j'ai écrit dans l'introduction de mon livre *Prévenir le burn-out*[1]*:*

«Depuis plusieurs années, je m'adresse surtout en tant que communicateur à des personnes qui se recrutent parmi 1 à 3 p. cent de la population: leaders d'opinion, agents de changement, entrepreneurs, cadres d'entreprises, commis de l'État et intervenants dans divers domaines (tels que l'éducation, l'enseignement, la santé) qui remplissent une fonction d'encadrement et jouent un rôle actif dans la société.

«C'est à ces personnes que je m'adresse plus spécialement dans mes livres, mes émissions de radio et de télévision, de même que dans les ateliers de croissance et de formation que j'anime à l'occasion. J'ai même parfois le sentiment de poursuivre mes recherches de vulgarisateur pour ces personnes, de digérer des informations, de les adapter et de les commenter pour répondre à leurs besoins. Qui sont aussi du reste les miens.»

Une certaine vision

Du chaos d'une communication éclatée qu'entraîne forcément un fonctionnement quotidien dans les médias, une certaine vision a fini par émerger, composée d'éléments divers, parfois

[1] Éditions Héritage

même disparates, formant une mosaïque en continuelle transformation: une vision qui se fait et se défait pour se refaire sans cesse. Si je devais en définir l'objet en quelques mots, je dirais que cette vision débouche sur la nécessité impérieuse de *refaire le monde* – rien de moins! [1] – mais en commençant par se refaire soi-même... Car je crois que la transformation du monde dépend essentiellement de la transformation des individus.

Le projet de consacrer plus de temps à l'écriture paraissait répondre chez moi à la nécessité de cerner davantage cette vision.

Il me semble aujourd'hui que cette vision appelle un certain approfondissement qui suppose de passer de l'oral à l'écrit. Le métier d'animateur à la radio et à la télévision, comme aussi bien celui de journaliste de la presse écrite, n'est pas sans évoquer la pratique du surf. Il s'agit toujours d'aller avec le courant, porté par une vague puis par une autre, en s'employant à garder l'équilibre et, autant que possible, avec une certaine élégance. Ce sont des métiers de surface, pour ne pas dire superficiels. Serais-je en train d'avouer qu'en prenant de l'âge, je me découvre un attrait... pour la réflexion? Sans donner de plein fouet dans cette nouvelle vanité, je dois pourtant reconnaître que j'ai aussi du goût désormais pour une forme d'artisanat intellectuel plus ambitieuse, que représentent des collages d'informations et de réflexions plus élaborés que ceux qu'autorise la communication, jour après jour, dans les médias.

Mais je n'ai pas pour autant l'intention de renoncer à l'oral qui est sans doute la forme dans laquelle je suis, malgré tout, le plus à l'aise... Lors d'une communication que j'ai faite sur l'oral, plus exactement que j'ai improvisée à partir de notes, comme il se devait, dans le cadre du colloque de l'Académie canadienne-française, en 1988, je disais: «À un moment, il me semble que j'ai choisi la magie du verbe, non pas de la parole écrite mais de l'oral. Que je me suis dit: il va falloir que ça se passe dans le moment présent... On retrouve encore ici l'influence de Marshall McLuhan qui disait que le plus important dans la communication, en particulier dans les médias électroniques (il pensait surtout à

[1] «Avez-vous autre chose à proposer?», demandait Albert Einstein à ceux qui trouvaient son projet de 'refaire le monde' trop utopiste.

la télévision), c'était que l'événement se déroulait dans le moment présent. Dans l'instantanéité et la simultanéité... Les émissions les plus fortes sont celles à propos desquelles les téléspectateurs ou les auditeurs ont le sentiment que c'est en train de se passer maintenant. Cette théorie de McLuhan a eu une très grande influence sur moi: par exemple je n'évite pas les bruits de feuille, je n'hésite pas à chercher une page... Bref, je rends l'auditeur complice de ma démarche. Je suscite ainsi sa participation. Je me dis: c'est en train de se passer maintenant. Et je suppose qu'il le ressent lui aussi. Nous sommes alors, l'auditeur et moi, dans le même temps. Nous sommes ensemble. Ca fait aussi partie de la magie de l'oral... (...) L'oral m'a aussi permis de faire une découverte au plan de la recherche intérieure: il m'est un jour apparu comme une forme de yoga – le yoga de l'oral. On retrouve encore ici l'influence de McLuhan... (Décidément! Mais ne parlons-nous pas de communication?) Il dit quelque part que «le message, c'est le messager». Pendant longtemps, pour préparer une émission, je m'attachais exclusivement au contenu. Mais à un moment j'ai plutôt commencé à me préparer moi-même en tant que messager, à travailler sur moi-même et non pas seulement au niveau du contenu: car ce que je communique avant tout, c'est moi... Si je ne suis pas en forme, si je ne suis pas centré, si je ne suis pas en harmonie, quel que soit le contenu, je ne vais communiquer que le chaos. Et c'est ainsi que ma démarche de communicateur est devenue une forme d'ascèse: le yoga de l'oral. (...) Et c'est ainsi que l'oral m'apparaît parfois comme une forme d'entraînement à *être plus.*»

Mais je disais aussi: «Et pourtant, je continue de me définir avant tout comme un écrivain. D'ailleurs, depuis quelques années, j'écris de plus en plus. Et je me dis (et je me console aussi en me disant): quand j'aurai beaucoup travaillé à la radio (ça doit achever!...), j'écrirai davantage... Comme si j'avais besoin de l'écriture pour donner plus de poids, plus de volume (!) à ma démarche...» [1].

À l'étape actuelle, le projet de me consacrer davantage à l'écriture avec plus de rigueur que je ne l'ai fait dans le passé me paraît répondre à la nécessité de prolonger la démarche de l'oral,

[1] *Les Ecrits du Canada français,* numéro 64.

autant pour moi-même que pour le public qui me fait l'amitié de me suivre... *par 4 chemins,* certains même depuis plusieurs années, et dans une certaine mesure de partager ma vision, ou du moins d'y trouver à l'occasion de quoi alimenter sa propre réflexion.

Sans renoncer à la forme habituelle du livre, j'ai décidé d'orienter plutôt mon entreprise en fonction d'une collection de livres-mosaïques, qui devraient paraître trois ou quatre fois par année, composés d'articles sur ce que je pourrais définir comme les grands thèmes de ma communication orale.

Je vois plusieurs avantages cette formule: d'abord, elle correspond mieux à ma nature de généraliste; ensuite, elle me paraît aussi mieux correspondre aux conditions actuelles... Le livre-mosaïque permet de travailler à chaud: de diffuser des informations et des réflexions en vue de l'action ici et maintenant.

Au moment où le monde se défait rapidement pour se refaire autrement sous nos yeux, les informations et les réflexions doivent circuler rapidement si on souhaite qu'elles puissent servir. Et je dois dire que, dans les circonstances actuelles, j'éprouve un sentiment d'urgence.

Ce qui est de moi et ce qui est de tout le monde

Dans le métier de la communication tel que je le pratique, la démarcation entre ce qui est de moi et ce qui est de tout le monde est difficile à faire. À vrai dire, j'en viens parfois à ne plus savoir au juste ce qui est de moi. Mais je ne m'en soucie guère. Il m'arrive même de me demander s'il est possible pour un individu d'avoir une pensée originale. Car il n'y a pas de doute dans mon esprit que les idées sont dans l'air. Et que nous sommes des canaux qui, chacun à sa manière, véhiculent l'information/énergie... Je dois même ici résister à la tentation de pousser le raisonnement plus loin et de proposer l'hypothèse qu'il n'existe pas de conscience individuelle, mais une vaste conscience universelle que chacun véhicule à sa manière... Ce qui risquerait de nous entraîner trop loin. Tel est pourtant mon sentiment.

La communication telle que je la conçois consiste en partie, comme l'entendait les encyclopédistes, à remettre en circulation («in-cyclo») l'information/l'enseignement/la réflexion («pedia»).

Il s'agit donc, dans cette perspective, d'être les canaux les meilleurs, les plus propices à véhiculer les informations et les réflexions les plus utiles. C'est sans doute dans ce sens que Maître K'ong, dit Confucius, l'entendait lorsqu'il disait: «Je transmets, je n'invente rien.» *(Entretiens,* VII,1.) Il paraît difficile de prétendre à plus d'originalité que lui...

Mon métier: une occasion de m'instruire

Mon métier de communicateur aura toujours été pour moi l'occasion de m'instruire. Je peux dire que la curiosité et la faculté d'émerveillement ne se sont jamais émoussés chez moi. Le goût de l'étude s'est même développé avec l'âge. Sans doute parce que je pratique un merveilleux métier qui me permet de m'instruire en public.

Tout le monde éprouve le besoin de plaire, d'être aimé. J'ai découvert que je pouvais plaire – relativement – en m'instruisant en public... Le secret est de susciter l'intérêt et de l'entretenir. Mais j'aime bien aussi amuser la galerie. Je demeure sans doute un homme de spectacle. Toute communication, du reste, tient du spectacle. Mais je ne cherche pas pour autant à être drôle. On dit que je le suis à l'occasion. Cela vient sans doute de ce que je m'instruis en m'amusant – ou que je m'amuse en m'instruisant...

J'éprouve le plus grand plaisir à démonter les systèmes et à les remonter, comme un jeu de LEGO. Pour moi, le processus de la communication est un jeu. J'aime décoder pour moi-même les événements, les mouvements, les courants de pensée, les inquiétudes et les espoirs, pour ensuite les réencoder pour les autres en tenant compte, le plus possible, de leur niveau de préoccupations et des conditions dans lesquelles la communication se déroule.

J'aime bien aussi l'exercice qui consiste à considérer les choses *autrement,* d'un point de vue différent, comme par exemple la tête en bas, soit en isolant certains éléments de leur contexte, soit en effectuant au contraire des rapprochements inattendus. J'aime susciter l'étonnement – à commencer par le mien. Mais, en somme, je veux être surtout un éducateur. Ce qui suppose d'abord de s'éduquer soi-même. Mon métier aura donc été aussi l'occasion d'un travail sur moi-même. À quoi je n'ai cessé de me consacrer toutes ces années, dans la joie.

La plupart des articles de cette collection seront donc de moi; quelques-uns écrits en collaboration.

À ma connaissance, il existe au moins un précédent d'un tel type de publication dans l'histoire de l'édition québécoise. À l'époque de la crise de 1929-30, Napoléon Lafortune [1], alors journaliste au quotidien *Le Devoir,* a fondé une revue qui, je crois, n'a pas eu plus d'un numéro! – dont il était, lui aussi, le seul rédacteur. Ce que rappelait, avec audace, son titre provocateur: *Le tout de mon cru...*

Jacques Languirand

[1] Le père d'Ambroise Lafortune.

LA VIE DONT VOUS ÊTES LE HÉROS

(PREMIÈRE ÉTAPE)

À la mémoire de Joseph Campbell, mythologue (1904-1987).

TABLE DES MATIÈRES

Du guerrier dans l'action...

«Les années 80 nous semblent ainsi témoins de l'apparition d'un type d'homme et de femme dont l'état d'esprit et le goût de l'action rappellent à maints égards l'archétype occulté du guerrier. Ces «nouveaux guerriers» portent plutôt l'attaché-case que le bouclier, la cravate que le blason; ils préfèrent les batailles économiques aux *war games* qu'ils laissent à l'imagination des enfants ou aux stratèges militaires. Au premier niveau, il représentent ceux qui assument leur agressivité et qui acceptent la nécessité des conflits. Mais ils recherchent, au-delà de leurs luttes et de leurs stress, l'idéal de la maîtrise de soi dans l'espoir de retrouver du sens au travers de l'action.»
Bob Aubrey [1].

... et du héros des grands mythes

E.G. d'après Gustave Moreau

[1] *Les nouveaux guerriers* (éd. Autrement, numéro sous la direction de Bob Aubrey).

Introduction

Je m'intéresse depuis plusieurs années au modèle du guerrier traditionnel tel qu'il trouve à s'appliquer aujourd'hui dans le monde de l'action.

Dans les pages qui suivent, je me propose de parler du guerrier en fonction du temps de sa vie.

Je vais le faire à partir du périple du héros dans les grands mythes, car son périple se déroule en fait, non pas dans l'espace mais bien dans le temps de sa vie.

C'est en quoi du reste, le périple du héros nous reporte à la démarche du guerrier dans l'action. Je vais tantôt parler de héros, tantôt de guerrier, ou encore de l'homme et de la femme d'action, selon le niveau de langage.

L'ÉNIGME DE LA SPHINX [1]

Il paraît donc dans la nature même d'une telle démarche de commencer par l'évocation d'un grand mythe: celui de la confrontation d'Œdipe avec la Sphinx, mythe qui, de surcroît, traite précisément de l'objet même de notre démarche, les étapes du cycle de vie, et nous en propose une vision d'ensemble.

La Sphinx grecque – qu'on ne doit pas confondre avec le Sphinx égyptien – était un monstre femelle: elle avait la tête et la poitrine d'une femme, le corps d'un lion et les ailes d'un aigle.

On raconte qu'elle arrêtait les voyageurs pour leur proposer une énigme; et qu'elle dévorait ceux qui ne pouvaient la résoudre... Le peuple souhaitait ardemment que vienne un héros qui les libère de ce monstre redoutable.

[1] On dit parfois au féminin la Sphinge...

Œdipe, à son retour d'exil, fut lui aussi arrêté et interrogé par la Sphinx qui lui proposa la fameuse énigme:

«Quel est l'être doué de la voix qui a quatre pieds le matin, deux à midi, et trois le soir?»
«L'homme», de répondre Œdipe.

L'homme, en effet, marche à quatre pattes quand il est enfant, puis sur deux, et il s'aide d'une canne quand il est vieux... Œdipe avait résolu l'énigme de la Sphinx.

Envahie par le désespoir, la Sphinx se précipita sur les rochers et mourut.

Œdipe avait triomphé du monstre, il avait traversé l'épreuve – il était devenu le héros.

• • •

Mais on n'est jamais, à vrai dire, que le héros de sa propre vie, qui est le lieu de tous les échecs et de tous les triomphes.

La Sphinx représente la dimension du destin de toute vie.

L'énigme, c'est l'image de notre propre évolution dans le temps, que chacun doit résoudre pour lui-même.

Le monstre, il est en chacun de nous: la libération revient en fait à se libérer de l'état léthargique qui nous empêche de devenir ce qu'on est essentiellement.

Il faut donc tuer le monstre, c'est-à-dire mourir à ce niveau de son être pour renaître au niveau du héros, qui est l'aspect supérieur de notre nature.

L'énigme de la Sphinx suggère une évolution du héros, de chacun de nous dans le temps de sa vie, en trois étapes: le départ du héros, l'initiation du héros (l'épreuve et la confrontation avec la mort) et le retour du héros... Telle est la structure universelle des grands mythes, que j'ai adoptée pour parler de *la vie dont vous êtes le héros.*

Cette structure ternaire des grands mythes, elle est au cœur de la vision du grand mythologue américain, Joseph Campbell. C'est la structure universelle des grands mythes, qu'il appelle le *monomythe.*

Au cours des 20 dernières années, cette vision du monomythe devait étendre considérablement l'influence de Campbell. De nombreux créateurs se sont inspirés de ses travaux pour structurer leurs œuvres, parmi lesquels plusieurs cinéastes dont George Lucas qui reconnaît volontiers qu'il a conçu sa trilogie *Star Wars,* les livres de Campbell sur sa table de travail.

À une étape de sa démarche, cet homme d'une culture exceptionnelle est parvenu à des synthèses fulgurantes qui l'ont conduit à suggérer que les mythes renferment un enseignement initiatique, ce qu'il n'était pas le seul à soutenir du reste, mais à les véhiculer comme tels: c'est-à-dire non plus seulement comme une discipline universitaire mais plutôt comme un outil de croissance et de réalisation au plan spirituel. Tel était du moins le cheminement que les mythes lui ont permis de faire et qu'il suggérait dans son enseignement.

Quelques années avant sa mort, alors que Campbell avait plus de 80 ans, son destin prit un cours inattendu. Le journaliste Bill Moyers, animateur à la télévision américaine, conçut le projet d'une série d'entretiens avec Campbell, qui fut diffusée par la télévision éducative (PBS).

Et la lumière fut!

Au printemps 1989, *The Power of Myth,* la série de six émissions tirée des 24 heures d'entretiens de Campbell avec Moyers, diffusée par la PBS, devait remporter un extraordinaire succès. La première diffusion de la série attira chaque semaine plus de 2 millions et demi de téléspectateurs; une seconde diffusion, à la demande du public, à peine quelques mois plus tard, connut un égal succès; enfin, au cours de la même période, le livre édité à partir de ces entretiens est demeuré sur la liste des best-sellers du *New York Times* pendant 21 semaines...

Mais Campbell venait de mourir à 83 ans.

Et c'est ainsi que ce grand mythologue est lui-même entré, pour ainsi dire, dans la légende... L'Amérique venait de découvrir en lui un de ses grands maîtres à penser et, du même coup, un de ses maîtres spirituels.

L'influence de Joseph Campbell sur mon évolution récente est considérable. Plus spécialement depuis la diffusion de ses entretiens à la télévision. J'avais déjà lu certains de ses articles et quelques-uns de ses ouvrages, mais la série télévisée offrait l'avantage de la communication orale, permettant non seulement de se familiariser avec le message mais de découvrir le messager; et de constater que l'adéquation entre les deux est parfaite. Campbell est le message qu'il véhicule... Ce que Bill Moyers du reste, souligne dans l'introduction du livre *The Power of Myths:* «Lorsqu'il (Campbell) nous dit que les mythes sont une source d'enseignement sur notre potentiel spirituel le plus profond, capable de nous guider vers la joie, l'illumination et même l'extase de vivre, il s'exprime comme quelqu'un qui a fréquenté les lieux où il invite les autres à se rendre.» Son enseignement ne me touche en profondeur que parce qu'il en est le vivant témoignage. J'ai revu à plusieurs reprises ces entretiens sur vidéocassette. J'en ai fait, pour tout dire, une forme de rituel. Je me suis même offert le luxe d'une analyse de contenu. Et – ô magie de l'électronique! – j'ai de plus en plus le sentiment de me trouver en présence de Campbell...

L'idée maîtresse de l'enseignement de Campbell se trouve simplement dans le message commun à tous les grands mythes, qu'il a su incarner dans sa vie, et «qu'on peut ramener, comme il le dit, à l'exigence pour la psyché humaine de se centrer avec détermination en fonction de principes d'excellence». C'est la démarche que je suggère dans les pages qui suivent, afin de donner plus de sens à *la vie dont vous êtes le héros* [1].

[1] L'oeuvre de Joseph Campbell est considérable. À ma connaissance, *Le héros aux milles visages* (éd. Robert Laffont) est le seul de ses ouvrages paru en français. Pour ce qui est des autres, en langue anglaise, je suggère la collection d'essais qu'il a réunis sous le titre *The Masks of God* (éd. Doubleday). Mais pour se familiariser avec sa pensée, je recommande un ouvrage moins académique, tiré de ses entretiens pour la télévision éducative américaine (PBS): «Joseph Campbell, *The Power of Myth* with Bill Moyers» (éd. Doubleday). Toutes les citations anglaises dans le présent exposé sont traduites par moi.

À LA RECHERCHE ... DU SENS PERDU

Aussi loin que je remonte dans le passé, il me semble que j'ai toujours été à la recherche, non pas du temps perdu, mais plutôt du sens de la vie par rapport à la fuite irréversible du temps.

J'ai donc colligé, au cours des années, des réflexions et des informations sur cette question, qui se définissent à différents niveaux.

Le présent exposé constitue la première étape d'une démarche qui devrait en comporter au moins deux autres.

A la première étape, je me propose d'aborder cette question complexe au niveau de l'enseignement que véhiculent les mythes sur le temps de la vie, la transformation et l'éveil de la conscience.

J'ai choisi de commencer cette démarche à ce niveau parce que les mythes nous proposent une vue d'ensemble du temps de la vie, mais aussi une interprétation du sens de la vie et un modèle – celui du héros.

A la seconde étape, je communiquerai des réflexions et des informations qui se définissent à d'autres niveaux, surtout au niveau socio-psychologique, mais qui vont s'insérer dans la structure proposée du mythe, prenant ainsi une signification particulière par rapport au cheminement que je veux suggérer.

LE MESSAGE DES MYTHES

> ***«Et qui plus est, nous n'avons pas à risquer seul l'aventure, car les héros de tous les temps l'ont vécue avant nous. Le labyrinthe est même parfaitement connu. Nous n'avons donc qu'à suivre le sentier du héros et là où nous avons cru trouver l'horreur, nous allons trouver un dieu. Là où nous avons cru tuer l'ennemi à l'extérieur de nous, nous allons tuer l'ennemi qui est en nous. Là où nous avons cru aller vers le monde, nous allons au contraire parvenir au centre de notre propre vie. Et là où nous avons cru être seul, nous serons avec le monde entier...»***
> Joseph Campbell [1].

Les mythes sont à la conscience collective ce que les rêves sont à la conscience individuelle. Mythes et rêves nous révèlent *l'autre* aspect de la vie: l'invisible derrière le visible. Campbell dit: «C'est à nos risques et périls que, bien souvent, nous ignorons les deux aspects de la vie que sont, d'une part, la réalité du monde matériel: de la dualité fondamentale, des oppositions irréconciliables, des conflits et des contradictions; et, d'autre part, celui que représentent les mythes et les rêves».

Les mythes nous parlent de centrer nos vies en fonction de valeurs éternelles. À notre époque, nous sommes à tel point engagés dans l'action en fonction de valeurs matérielles, extérieures à notre nature profonde, que nous vivons dans l'inconscience de nous-mêmes, que nous perdons de vue la dimension intérieure de l'être et, comme le dit Campbell, «l'émerveillement associé à la conscience d'être vivant.»

Les mythes décrivent le cheminement, le périple du héros à travers les aventures de sa vie, comme autant d'étapes, de stades de sa transformation, et les épreuves qu'il doit traverser, comme autant de rites initiatiques qui lui permettent de passer d'un stade à l'autre, chaque stade représentant une étape de sa croissance au plan psycho-spirituel.

[1] *The Power of Myth* – with Bill Moyers (éd. Doubleday).

L'expérience psycho-spirituelle, c'est dans le temps de notre propre vie qu'il faut la chercher, à travers notre propre transformation, jour après jour, à la faveur de notre cheminement dans le labyrinthe. Il s'agit, en somme, de retrouver la dimension sacrée du temps et de faire de notre évolution à travers les étapes de la vie, qui sont comme autant de stades du développement de la conscience, une véritable exploration mystique.

Fonctions du mythe

Le mythe, à la fois, cache et révèle le message. Comme le rêve, il faut l'interpréter. D'où l'intérêt de définir les fonctions du mythe à différents niveaux:

- la fonction mystique

Le mythe permet de prendre conscience de la dimension mystique – secrète, cachée, *mystérieuse* – du monde, du mystère qui se trouve dans toutes les formes de vie, de l'invisible dans le visible, et même, comme le précise Campbell, «du merveilleux... dans l'horrible».

Devant la révélation de ce mystère, de la Réalité au-delà du réel, révélation progressive au fur et à mesure que sont franchies les étapes de la vie, le héros éprouve de plus en plus le sentiment de sa participation à cet univers merveilleux.

C'est de toute évidence de la **réalisation** au plan spirituel, du moins à l'étape ultime du périple, dont il s'agit ici, c'est-à-dire de l'identification au Soi.

Le cheminement **conscient** à travers le cycle de vie, tel que le permet l'intelligence des mythes et du message qu'ils véhiculent, constitue donc une authentique technique d'éveil. Ce que du reste, démontre l'expérience personnelle de Joseph Campbell.

On pourrait définir cette École comme *la Voie du mythe,* une forme de yoga: le yoga du temps de la vie, qui, à la condition qu'on dépasse le stade élémentaire de l'étude pour atteindre celui de l'intelligence intuitive des mythes, et, que, bien sûr, on en fasse une pratique dans la vie de tous les jours, se rattacherait à ce qu'on appelle dans la tradition hindoue le *Jnana yoga* [1].

Les autres fonctions du mythe, dans le contexte de la démarche que je propose ici, nous intéresse moins, mais il paraît intéressant de les définir en quelques mots:

- la fonction cosmologique

Cette fonction du mythe paraît désormais assumée en grande partie par la démarche scientifique qui sans doute parvient mieux à décrypter l'univers – à ceci près, toutefois, qu'à l'époque où le mythe assurait encore cette fonction, le décryptage comportait une dimension magique.

- la fonction sociologique

Le mythe tend à expliquer et à soutenir un certain ordre social.

C'est la dimension culturelle des mythes, celle qui les fait souvent paraître différents les uns des autres. Car, bien que les mythes véhiculent toujours, quant à l'essentiel, ce qu'on est convenu d'appeler la sagesse universelle, l'enseignement est souvent communiqué en fonction de valeurs culturelles particulières qu'il nous faut donc dépasser, si on veut en découvrir l'universalité.

- enfin, la fonction pédagogique

Cette fonction concerne la mise en pratique de l'enseignement du mythe: comment vivre sa vie dans toutes les circonstances de la vie.

Cette dimension s'avère importante pour nous dans le présent contexte.

[1] La tradition hindoue nous propose quatre formes fondamentales de yoga: celui du corps, le *Hatha yoga;* celui du cœur, le *Bhakti yoga;* celui de l'action, le *Karma yoga;* enfin, celui de la connaissance, le *Jnana yoga* – bien qu'il s'agisse ici, ultimement, de la Connaissance de sa véritable nature, du Soi par rapport au moi.

Tout cela peut paraître abstrait. Et pourtant, dans la vie de tous les jours, les deux sujets de conversation les plus fréquents sont, dans l'ordre, le temps qu'il fait et... le sens de la vie. Faites l'expérience de noter le nombre de réflexions, plus ou moins explicites, sur le sens de la vie que vous entendez ou saisissez au passage au cours d'une journée: «Ca, c'est la vie... Dans la vie, il faut... Ma mère disait toujours que... Mon grand-père, chaque fois qu'un problème se présentait... Il faut prendre les choses comme... Quand tu auras mon âge, tu... Le temps, c'est...» Ce dont témoigne plus spécialement les dictons, les adages, les proverbes... Bref, la recherche du sens est la grande affaire de la vie.

Une partie de la vie se passe à commenter la vie; à en chercher à la fois le mode d'emploi, si je puis dire, et le sens profond; à recevoir des leçons et à en donner; à éclairer les expériences les uns des autres... Nous consacrons en fait une grande partie de notre vie à *philosopher.* Pas toujours consciemment, il est vrai, mais il demeure que le discours sur le sens se poursuit de façon presque ininterrompue au niveau du mental, du monologue intérieur.

On pourrait définir la vie comme une pédagogie, à la recherche du sens, qui se poursuit parallèlement sur deux plans, celui du discours et celui de l'expérience.

C'est, en somme, ce que disent les mythes qui, de plus, ont une interprétation à offrir et un modèle à proposer: le **héros** – rien de moins!

De la structure du monomythe

> **«Un héros s'aventure hors du monde de la vie habituelle et pénètre dans un lieu de merveilles surnaturelles; il y affronte des forces fabuleuses et remporte une victoire décisive; puis, le héros revient de cette aventure mystérieuse, doté du pouvoir de dispenser les bienfaits à l'homme, son prochain.»**
> Joseph Campbell [1].

Du point de vue de la structure, tous les mythes racontent la même histoire. Il s'agit toujours, en somme, du périple du héros dans le temps de sa vie qui se déroule en trois étapes:

a) **le départ;**

b) **l'initiation** (l'épreuve, la confrontation avec la mort);

c) **le retour.**

Telle est l'unité nucléaire du mythe.

C'est à cette structure universelle que je me réfère pour aborder le cycle de vie.

Car le temps de la vie s'organise en fonction d'une structure qui correspond parfaitement à celle du monomythe défini par le mythologue Joseph Campbell.

[1] *Le héros aux mille et un visages* (éd. Robert Laffont).

LES TROIS ÉTAPES DE LA VIE

La grille du cycle de vie que propose Carl Jung, qui lui-même s'intéressait beaucoup à la mythologie et qui eut une influence considérable sur les travaux de Campbell, recoupe exactement la structure du monomythe et comporte trois étapes: l'une ascendante et l'autre descendante, qui sont comme les deux flancs d'une montagne, avec, entre les deux, au sommet de la montagne, la transition du milieu de la vie [1]. Soit:

- **Le départ – le flanc ascendant de la vie**

  De la naissance jusqu'au milieu de la vie, autour de la quarantaine, c'est la phase de **la jeunesse.**

Dans la première moitié de sa vie, on doit réaliser **l'adaptation au monde extérieur**, se faire reconnaître socialement, former un couple et procréer si tel est son choix ou son destin, élargir son champ d'expérience.

Dans cette phase, on tend à **se spécialiser**. L'objet de cette phase est de **réussir dans la vie.**

- **L'initiation**

  Entre 35 et 45 ans se situe **la transition du milieu de la vie**, qui est souvent vécue comme une *crise* – je reviens plus loin sur le sens qu'il faut donner à ce mot.

- **Le retour – le flanc descendant de la vie**

  Depuis le milieu de la vie, jusqu'à la phase de la **maturité.**

Dans la seconde moitié de la vie – à laquelle nulle école ne prépare, il faut bien le dire – c'est au contraire le rétrécissement et l'approfondissement qu'il faut considérer, afin de **découvrir son monde intérieur**.

[1] *Psychologie de l'inconscient* (éd. Albin Michel). Mais il aborde cette question dans plusieurs de ses ouvrages. Je précise que Jung parle en fait de deux phases avec, entre les deux, le virage du milieu de la vie. Ce qui revient au même.

Dans cette phase, on tend plutôt à **se généraliser** et à s'approfondir. L'objet de cette phase est de **réussir sa vie.**

Dans le contexte de cette réflexion, Jung définit la névrose comme «un mauvais rapport au temps», autrement dit comme un obstacle dans le processus de réalisation, alors qu'on doit poursuivre un objet différent dans l'une et l'autre moitiés de sa vie.

Pour Jung, la première phase de la vie est **naturelle**; la seconde, **culturelle.**

Dans la première moitié de sa vie, le névrosé serait donc celui qui redoute l'élargissement et l'adaptation au monde extérieur; alors que dans la seconde, ce serait celui qui, au contraire, s'obstine à poursuivre la recherche de l'élargissement et de l'adaptation au monde extérieur, au lieu de s'employer à découvrir son monde intérieur. Dans les deux cas, la névrose est donc en rapport avec le temps.

«Ce que je suis, je cesse déjà de l'être.» Simone Weil [1].

La vision du temps que nous propose Simone Weil rejoint celle du mythe. Nous sommes livrés à la fuite irréversible du temps. Le changement est l'essence même de l'existence. Dans le monde, tout est lié. Si quelque chose change, tout doit changer en même temps.

«... en moi-même, écrit Simone Weil, je trouve la servitude la plus lourde, et par rapport à laquelle je ne puis même imaginer de libération possible: la fuite irréversible du temps – ***je ne m'appartiens pas.»*** [2]

«Le temps est la préoccupation la plus profonde et la plus tragique des êtres humains; on peut même dire: la seule tragique. Toutes les tragédies que l'on peut imaginer reviennent à une seule et unique tragédie: l'écoulement du temps.»

On peut donc, conclut-elle, laisser le temps s'écouler ou s'efforcer de remplir le temps «ce qui donne aux moments qui passent leur valeur éternelle.»

1 *Oeuvres complètes,* tome I (éd. Gallimard).
2 Souligné par moi.

LE HÉROS DANS LE TEMPS DE SA VIE

Dans tous les mythes, le héros évolue dans l'espace: il part de chez lui, de son milieu, pour se rendre ailleurs dans *le vaste monde* où l'attend l'aventure. Il devra confronter l'adversité et remporter une victoire décisive sur l'ennemi, le monstre, le dragon, avant de revenir chez lui, dans son milieu, riche d'une expérience qu'il devra désormais partager avec les autres.

Mais pour saisir la leçon du mythe, il faut l'interpréter analogiquement: c'est dans le temps et non dans l'espace que le héros évolue, plus précisément dans le temps de sa vie. C'est donc dans le temps de sa vie que le héros doit surmonter les obstacles, traverser les épreuves.

Et, par ailleurs, c'est en lui-même qu'il doit confronter l'adversité et remporter une victoire décisive sur l'ennemi, le monstre, le dragon, c'est-à-dire libérer en lui ce qui est enchaîné, éclairer ce qui est dans l'ombre.

Comme chacun a de l'espace un point de vue différent, chacun a du temps une vision unique, qui est celle du temps de sa propre vie – celle de son destin. Le temps de chacun, le temps même de sa vie **est** son destin.

Le destin est toujours à la mesure de celui qui doit le vivre. L'aventure du héros correspond toujours à son degré d'évolution. Autrement dit, la vie de chacun correspond à sa nature profonde.

C'est ici et maintenant que je dois être le héros de ma vie.

Le seul problème qui se pose à l'homme, c'est la lutte contre le temps. Mais la lutte consiste, non pas à résister au temps qui s'écoule, mais à le remplir de mon action et de ma présence.

C'est à chaque instant de sa vie que le héros doit surmonter l'épreuve capitale: le temps de sa vie qui passe, apportant avec lui de nouvelles aventures, des réussites et des échecs, des gains et des pertes.

DÉCRYPTER LE MESSAGE DU TEMPS

Mais si chacun est le *héros de sa vie dans le temps,* la formule, pour séduisante qu'elle soit, ne dit pas comment il doit la vivre. *Héroïquement,* bien sûr... Il a déjà remporté une victoire à sa naissance, il est vrai. Mais comment va-t-il par la suite continuer de naître? Tout est là! Comment va-t-il assumer l'expérience de vivre? En pleine conscience ou dans une sorte de léthargie? Va-t-il s'adapter par l'action ou par la soumission? Sera-t-il parvenu à un moment à décrypter le message du temps, à percer le sens profond de sa propre évolution dans le temps, à jouer son rôle avec courage dans la tragédie du temps irréversible? Autrement dit, parviendra-t-il à vivre en pleine conscience le temps de sa vie – comme un yoga?

Les épreuves

Au cours de son périple dans le temps, le héros connaît deux genres d'épreuves:

• D'une part, celles qui lui viennent du monde extérieur, qui ressortent à la nécessité de s'épanouir dans le rôle ou la fonction, au plan personnel comme au plan professionnel. Ce sont les conditions qu'impose la vie en société.

Les difficultés qui viennent du monde extérieur sont aisément reconnues.

• D'autre part, les épreuves qui viennent de l'intérieur de l'être, qui ressortent à la difficulté de croître pour **devenir ce que l'on est.** Ce sont les conditions qu'impose l'évolution biologique et psychologique.

Les difficultés qui viennent de l'intérieur de l'être sont plus difficilement reconnues, parfois même occultées. Les états anxieux et dépressifs apparaissent comme autant de répercussions à l'intérieur de soi des résistances rencontrées à l'extérieur, qui se traduisent par le doute, la peur, la perte de sens...

Ce sont ces expériences intérieures qui m'intéressent particulièrement ici, parce qu'elles sont, plus que les expériences extérieures qui parfois les provoquent ou les favorisent, de nature initiatique. Les expériences intérieures sont comme autant de petites morts qu'il faut traverser pour renaître chaque fois à un niveau de conscience plus élevé: car il faut mourir à soi de nombreuses fois pour **devenir ce que l'on est.**

Campbell explique: «Les expériences de la vie servent à éprouver le héros: elles sont pour lui autant d'occasions de se dépasser. Sera-t-il à la hauteur? Va-t-il triompher des dangers? Aura-t-il le courage, la connaissance, l'aptitude, qui lui permettent de **servir**...»

Dès le départ, il est évident que le héros doit servir les autres. C'est en cela surtout, dans le fait de se donner à quelque chose de plus grand que lui, que réside l'épreuve déterminante que le héros doit surmonter: transcender son ego pour en venir à se percevoir comme un canal d'énergie pour les autres.

Les crises du cycle de vie

Parmi les épreuves de la vie, il s'en trouve, à certaines étapes, comme par exemple au milieu de la vie, qui se définissent comme des crises. Mais il me paraît important de préciser dans quel sens on doit entendre le mot «crise», qui a généralement une connotation négative. Crise vient du grec krisis qui veut dire **choix**: c'est dans ce sens qu'on doit l'entendre.

La crise présente donc un aspect positif. On trouve du reste dans la pensée orientale une conception de la crise qui tient compte de ses deux aspects, opposés et complémentaires. En Orient, le concept de crise est exprimé par l'association de deux idéogrammes: ceux de ***danger*** et d'***opportunité*** – au sens de circonstance opportune. Est-ce à dire que les Orientaux n'auraient pas la même attitude que nous dans des situations de crise? Dans la mesure où le concept n'a pas pour eux le même sens que pour nous, il est probable en effet que l'attitude qu'il inspire soit plus dynamique que la nôtre... Dans un moment de crise, il faut donc évaluer le danger qu'elle représente mais aussi l'opportunité qu'elle offre de se renouveler.

La transformation

Car tout est transformation.

Le héros, au cours de son périple, se transforme. D'un moment à l'autre, on n'est pas le même. Il n'y a que la conscience d'être qui traverse toutes les étapes sans changer.

La transformation se fait nécessairement par une redéfinition du rapport de l'être au temps.

La plupart se transforment plus ou moins consciemment. En offrant plus ou moins de résistance. En s'adaptant soit par la soumission, ce qui est source de souffrance, soit par l'action.

S'adapter par l'action suppose d'agir sur le monde et l'environnement, mais surtout d'agir sur soi en devenant l'agent conscient de sa transformation. Le héros se transforme en pleine conscience, devenant ainsi de plus en plus le cocréateur conscient du monde, de sa vie et de lui-même.

L'objet du périple du héros dans le temps de sa vie est d'éveiller en lui, progressivement, la conscience.

I – Le départ du héros: la jeunesse

«Les cinq vertus de la chevalerie médiévale étaient: la tempérance, le courage, l'amour, la loyauté et la courtoisie. (...) La courtoisie doit s'entendre ici comme le respect des règles de conduite dans la société. (...) Au Moyen Âge, on avait le respect de la société dont on participait. Tout était fait selon les règles. (...) Car tout ce qu'on fait doit s'inscrire dans un système de règles qui dictent comment les choses doivent être faites et bien faites. (...) Quand deux chevaliers combattaient, bien qu'ils fussent engagés dans un combat mortel, ils ne violaient jamais les règles du combat. Ils gardaient à l'esprit la règle de courtoisie. (...) Quant à la loyauté, elle suppose un engagement sur deux plans: celui de l'aventure de sa vie; et celui des idéaux de l'ordre de chevalerie.»
Joseph Campbell [1].

M'adressant plus particulièrement aux gens d'action, hommes et femmes, je vais surtout m'en tenir à propos de la première phase du cycle de la vie, à la seconde étape, c'est-à-dire celle qui commence vers la vingtaine et qui correspond au départ du héros pour l'aventure dans le monde.

Témoignage

Avec le recul, je me rends compte que cette étape de ma vie, je l'ai effectivement entreprise par un départ. J'avais 18 ans et, après quelques années passées à ramasser un peu d'argent, je m'embarquai à bord d'un cargo français – le SS Rouen – pour débarquer en France, terre de mon exil volontaire, où m'attendait l'aventure.

De cette époque, il me revient que je l'ai vécue avec une certaine rage de vivre. Dans les années cinquante, j'ai revu trois

[1] *The Power of Myth* – with Bill Moyers (éd. Doubleday).
Pour éclairer les notions de courtoisie et de loyauté, mais aussi celles que recouvrent les autres vertus du chevalier, voir à la page 113 dans ce numéro, l'article *Maître K'ong, dit Confucius,* dans lequel il est question des rites, de l'éthique, de l'amour... Cet enseignement recoupe quant à l'essentiel les règles de la chevalerie médiévale en Occident.

fois un film au titre révélateur de mon état d'esprit d'alors: «Une place au soleil» [1]*.*

Je reconnais aujourd'hui que j'étais alors partagé entre deux types de besoin, apparemment contradictoires: celui de vivre ma vie comme une aventure, échappant le plus possible aux contraintes; et celui de me définir en tant qu'être social, ce qui suppose, au contraire, de les assumer. J'ai découvert depuis que cette dichotomie est relativement commune à cet âge.

Pendant ces années, j'ai accordé une importance capitale à la recherche de modèles. J'ai même longtemps couvé le projet d'écrire un livre qui aurait eu pour titre: «Je cherche un Maître»... J'ai connu et fréquenté des êtres de qualité, hommes et femmes, qui étaient pour la plupart parvenus à la seconde phase du cycle de vie, celle de la maturité, et qui ont été mes mentors dans divers domaines. Je crois pouvoir ajouter que j'ai été un disciple attentif et réceptif.

Des sentiments qui m'animaient à cette époque, je reconnais l'ambition, voire même une certaine volonté de puissance, qui devait se traduire par une action débordante dans les domaines les plus divers mais tous associés à la communication. Il m'apparaissait que tout était possible. J'ai vécu ces années comme un grand jeu, avec des réussites et aussi des échecs – qui d'ailleurs furent nombreux. Mais je trouvais toujours l'énergie de recommencer autre chose, ailleurs, autrement.

Au plan affectif, que je parvenais mal à dissocier de celui de l'action, j'ai vécu tout aussi intensément ma vie de couple, ponctuée d'aventures extra-conjugales – «entre les périls du désir et la peur», pour reprendre une formule de Joseph Campbell; avec de grands moments, comme la naissance de mes enfants, au milieu des voyages, des changements d'orientation – à la recherche du sens de ma vie...

... jusqu'à l'âge de 38 ans, où je me trouvai tout à coup, mais sans doute comme il se devait, en pleine crise.

...Mais ça, c'est une autre histoire!

[1] Pour la petite histoire, j'ajoute que j'ai revu deux fois ce film en compagnie de mon ami, l'écrivain Hubert Aquin.

L'OBJET DE LA PREMIÈRE PHASE: *DEVENIR ADULTE*

Le périple du héros des grands mythes, comme de chacun d'entre nous, est celui de son cheminement dans le temps de sa vie.

À la naissance, chacun de nous est déjà un héros. Car la vie commence par un acte héroïque: l'acte de naître, de changer brusquement de milieu, passant de l'eau à l'air, du monde liquide au monde solide. Ce qui constitue en soi une transformation majeure, une entreprise colossale – un acte héroïque.

Chacun est donc déjà, au moment de sa naissance, le **cocréateur** de sa vie. De ce point de vue, une réflexion sur l'acte de naître est riche d'enseignement: elle nous indique le sens profond de la vie. Car chacun devra demeurer le cocréateur de sa vie jusqu'à la fin, partagé entre l'instinct de vie **(éros** – *libido)* et l'instinct de mort **(thanatos** – *destrudo),* entre le désir et la peur. Mais alors que chacun a été le cocréateur inconscient de sa vie au moment de sa naissance, il devra en devenir, pour s'accomplir au fur et à mesure de son évolution dans le cycle de vie, le cocréateur de plus en plus conscient.

Dans la première grande phase du cycle de vie, celle qui correspond au départ du héros, le vecteur de l'évolution va de la sécurité vers la stimulation. Ce sont deux besoins fondamentaux, apparemment contradictoires mais en fait complémentaires, qu'il faut trouver à satisfaire toute sa vie, allant de la sécurité à la stimulation et réciproquement, selon les circonstances, les événements, les conditions extérieures, mais aussi les nécessités intérieures.

Le départ du héros commence donc, en fait, par la séparation d'avec la mère, d'avec la sécurité absolue dont il devra s'éloigner de plus en plus au cours de cette première phase de la vie, alors qu'il s'aventure dans le monde de la stimulation, pour devenir un être social à part entière.

La séparation d'avec la mère demeure l'archétype de toutes les étapes de la transformation au cours de la vie, qui causent toujours une séparation. Avec ce que cela suppose de souffrance. Mais aussi d'exaltation. Car il s'agit, à chaque étape, de mourir symboliquement à un niveau de conscience pour renaître à un niveau plus élevé. La résistance qu'on oppose au processus de transformation vient précisément de la souffrance causée par la séparation et par l'obligation de mourir à soi-même pour se redéfinir sans cesse. Cette obligation est généralement perçue comme une entreprise comportant le risque de perdre au plan de la sécurité, du connu, ce qu'on gagne au plan de la stimulation, de l'"inconnu. L'angoisse de la séparation, on la retrouve donc à chaque étape de l'évolution.

L'objet de cette première phase est de devenir adulte, ce qu'on ne peut devenir – à supposer même qu'on le devienne un jour! – qu'après en avoir surmonté les épreuves.

Telle est la tâche du héros dans la première grande phase du cycle de vie: devenir **adulte,** c'est-à-dire autonome et responsable.

RÉUSSIR DANS LA VIE

Il est relativement facile de définir la première phase de la vie, qui est celle de la **jeunesse,** par opposition à la seconde qui est celle de la maturité, car elle correspond largement aux valeurs de la société actuelle. Nous y sommes bien préparés: en mettant l'accent sur la spécialisation, le système d'éducation prépare, en effet, relativement bien à relever les défis de la jeunesse.

Les priorités de la première phase du cycle de vie se définissent surtout par rapport à **l'être collectif,** à quoi il faut s'employer sans se perdre de vue; alors que celles de la seconde phase se définiront surtout par rapport à l'être individuel.

Au cours de la première phase, le sens de la vie se trouve dans **l'adaptation au monde extérieur.** C'est l'étape du périple où le héros est tourné vers l'objet, ce qui se traduit par la formule: ***réussir dans la vie.***

Il s'agit donc, en fait, de se prendre en charge et de s'assumer; de devenir **autonome:** auto-suffisant, auto-déterminé.

De se faire une *place au soleil.*

☐ Par rapport à soi:

C'est le moment de «bâtir maison». Traditionnellement, cette étape est marquée – si tel est le choix ou le destin – par l'union avec le conjoint et le début de la vie de famille. Car cette étape de la vie active ne doit pas s'entendre seulement en fonction de l'action dans le monde. C'est aussi à ce moment que le héros doit découvrir l'amour et l'amitié, qu'il doit faire l'apprentissage de l'intimité. Mais aujourd'hui, les gens d'action sont si absorbés par leurs activités dans le monde, conditionnés par les valeurs matérialistes de la société de production/consommation, qu'ils ont tendance à négliger la dimension capitale de la vie personnelle, dont les ratés seront fortement ressentis vers le milieu de la vie.

☐ Par rapport au monde:

En devenant un être social à part entière, l'individu participe désormais du clan. Il a des droits mais aussi des devoirs. Ce qui implique nécessairement des responsabilités par rapport à la société et, plus particulièrement, à l'égard des autres. La célèbre phrase de John F. Kennedy me revient, qui définit parfaitement l'état d'esprit qui doit inspirer les choix et les comportements du héros: «Ne te demande pas ce que ton pays fait pour toi, mais ce que tu fais pour ton pays!»

C'est l'étape où le héros doit cultiver le **sens de l'éthique.** Cette exigence est d'autant plus essentielle à notre époque que l'égocentrisme prédomine. Ce qui suppose que les choix doivent être aujourd'hui commandés par des valeurs personnelles qui ne correspondent pas à celles qui prévalent dans la société actuelle. Une telle conduite ne peut découler que d'une véritable autonomie.

À cette étape, quelques tâches majeures s'imposent:

- construire son rêve de vie au plan personnel comme au plan de l'action dans le monde;
- créer une structure de vie stable de façon à concrétiser progressivement ses rêves.

Pour réussir dans la vie, on doit **se spécialiser**: atteindre un haut degré de culture dans un domaine restreint. Ce qui revient à dire qu'on doit laisser en friche beaucoup de ses aptitudes pour développer celles qui sont indispensables à sa survie. L'actualisation de soi dans le monde détermine en grande partie les motivations. Ce qui se traduit nécessairement par un certain **conformisme:** il faut jouer le jeu de la société, remplir la fonction qu'elle nous impose ou qu'on s'impose, vivre le personnage. Ce qui ne va pas sans certaines frustrations, qui se cristallisent généralement vers la trentaine, alors qu'on prend conscience de l'écart entre son rêve de vie et la réalité.

La réussite, à cette étape, se mesure au succès. Ce qui représente pour l'estime de soi, un défi considérable: confronté au monde extérieur et aux autres, il faut se prouver à soi-même... La trentaine passée, les échecs peuvent se traduire par des désordres émotionnels: l'alcoolisme, la dépression, les troubles psychosomatiques, qui démontrent bien la difficulté de *réussir dans la vie.*

Ces généralités, pour valables qu'elles soient, ne vont pas sans certaines contradictions. Parmi ces contradictions, il s'en trouve deux que je crois utile de signaler plus particulièrement, parce qu'elles sont plus manifestes à notre époque:

- d'une part, comment concilier la recherche de modèles, à une époque de changement rapide, avec la contestation de l'autorité, qui donne aujourd'hui au conflit des générations une dimension sans précédent;

- d'autre part, comment devenir adulte, ce qui passe nécessairement par l'actualisation de soi, tout en étant assez conformiste pour trouver sa place au soleil?

La recherche de modèles... et le «conflit des générations»

J'ai dit plus haut l'importance que j'ai accordée, à cette étape de ma vie, à la recherche de modèles. Je constate que les jeunes adultes paraissent, aujourd'hui, moins concernés que je ne l'étais par cette question, alors qu'à une époque dominée par le changement, ils sont plus que jamais, porteurs de valeurs nouvelles. Pourtant, je n'en continue pas moins de considérer qu'à cette étape de la vie, la recherche de modèles demeure capitale pour les jeunes adultes [1].

Les modèles, en principe, véhiculent des valeurs relativement stables, en fonction d'une certaine continuité; alors que les jeunes adultes de tous les temps sont porteurs de valeurs nouvelles, en fonction d'un renouvellement. Jusqu'à récemment, il semblait exister un équilibre entre ces deux tendances: celle de continuité et celle de renouvellement. Et dans les cas où un déséquilibre apparaissait, il favorisait généralement, sauf dans les périodes révolutionnaires, les valeurs de continuité, comme c'est le cas, par exemple, dans les sociétés traditionnelles. Or, à notre époque, les valeurs de continuité sont, au contraire, remises en question, alors que les valeurs nouvelles s'imposent avec d'autant plus de force que tout ce qui est nouveau apparaît comme un progrès indiscutable. On voit donc mal l'intérêt que pourrait présenter la recherche de modèles dont on soupçonne qu'iils auraient un effet de freinage. Il s'ensuit que la disproportion entre les valeurs de continuité, qui ne font plus l'objet d'une transmission, et celles associées au renouvellement crée une grande instabilité. Cette situation n'est pas sans provoquer des malaises, voire même, chez certains, des états de mal-être.

De tout temps, la nécessité pour les jeunes adultes de trouver leur place au soleil a eu pour effet d'alimenter ce qu'on

[1] Dans son étude *Adaptation to Life* (éd. Little Brown) citée et commentée par Renée Houde dans son essai *Les temps de la vie, le développement psycho-social de l'adulte selon la perspective du cycle de vie* (éd. Gaëtan Morin) et dans un article paru la même année (1977) dans *Psychology Today,* George E. Vaillant écrit, à partir de témoignages qu'il a recueillis, à propos de cette étape de la vie: «Ils eurent besoin, à des époques cruciales – quoique non repérées – de leur vie, de relations profondes avec des individus chaleureux, qui pouvaient leur servir à la fois de modèle et d'objet d'identification positif.»

appelle «le conflit des générations». Ce conflit tient d'une part à la différence d'âge, les priorités des générations n'étant pas les mêmes; mais de plus en plus, de nos jours, à ce que les générations se définissent en fonction de valeurs souvent très différentes, parfois même opposées. Ce conflit est d'autant plus important aujourd'hui que les jeunes adultes, les baby-boomers, qui se trouvent dans la première phase de la vie, exercent une influence considérable sur les valeurs, du fait de leur nombre et de la qualité de leur formation; et que, de plus, l'évolution rapide des technologies et des savoirs entraîne souvent chez les autres, ceux qui sont dans la seconde phase de la vie, un sentiment, justifié ou non, d'obsolescence.

Le conflit des générations correspond donc, en fait, aujourd'hui, à l'affrontement de deux systèmes de valeurs. Et parmi les valeurs qui s'affrontent, celles se rapportant à l'exercice de l'autorité suscitent le plus de tension. La contestation de l'autorité par les jeunes adultes, qu'ils en soient conscients ou non, prend même de nos jours l'aspect d'une véritable révolution culturelle. Ce qui, encore une fois, n'incite pas à la recherche de modèles de continuité. Mais cette contestation, amorcée vers la fin des années soixante et le début des années soixante-dix par les baby-boomers, qui devait provoquer l'ébranlement du modèle traditionnel de l'autorité, et surtout de l'autorité paternelle, paraît avoir, depuis quelques années, un curieux effet de retour, alors que ces jeunes adultes doivent, à leur tour, assumer la fonction de l'autorité. Car on ne peut demeurer un fils, ou une fille contestataire toute sa vie: il faut bien en venir, à un moment, à assumer soi-même la fonction de l'autorité. Au cours du cycle de vie, qu'on le veuille ou non, on change nécessairement de rôles...

Mais dans la mesure où il n'y a guère de modèles de fonctionnement hérités du passé que n'aient contestés ces jeunes adultes, il leur faut aujourd'hui, pour être conséquents avec eux-mêmes, inventer de nouveaux modèles d'autorité. Ce qui rend cette phase de la vie active encore plus exigeante. C'est peut-être la raison pour laquelle, du reste, on observe que la crise du milieu de la vie, qui en principe se produit vers la quarantaine, alors qu'on doit justement **devenir son propre père/mère,** survient plus tôt, dans bien des cas autour de 35 ans.

Entre l'aventure et le conformisme

> **«... Quel est donc cet homme pitoyable qui, dans sa vie, n'a jamais suivi son intuition – 'bliss' [1]? Sans doute peut-on remporter, dans ces conditions, un certain succès dans la vie... Mais alors, de quel genre de vie s'agit-il? À quoi aura-t-elle servi si on n'est jamais parvenu à entreprendre ce à quoi, au plus profond de son être, on voulait se consacrer? Je disais souvent à mes étudiants: allez vers quoi votre être, votre corps et votre âme veulent aller. Lorsqu'on a un sentiment profond, une vision de ce qu'on doit faire, il faut s'y accrocher et ne laisser personne nous écarter de la voie. (...) En suivant son intuition, on se place automatiquement comme sur une voie tracée à l'avance, qui a toujours été là pour soi, et on est assuré de vivre exactement la vie qu'on devait vivre. Où qu'on soit, si on suit son intuition, on profite à tout moment d'un renouvellement de la vitalité intérieure. Suis ton intuition! (...) Bien sûr, il faut aussi user de sa tête. Car le sentier est étroit et plein d'embûches. Un texte hindou le rappelle: «C'est un sentier périlleux – comme le 'fil du rasoir'.»**
> Joseph Campbell [2].

J'ai aussi reconnu plus haut qu'à cette étape de ma vie, j'avais le sentiment d'être partagé entre deux besoins apparemment contradictoires: celui de vivre la vie comme une aventure, aussi libre que possible par rapport aux contraintes – la stimulation; et celui de me définir en tant qu'être social, ce qui suppose, au contraire, que l'on se conforme – la sécurité.

Ou encore, pour revenir à la pensée de Campbell, je dirais que j'étais partagé entre le besoin de suivre mon intuition – car

---

[1] La formule employée par Joseph Campbell en anglais est: «Follow your bliss...» Ce mot peut se traduire par 'béatitude' ou 'félicité'... De toute évidence, ce n'est pas le sens que lui donne Campbell. Il faut donc ici s'éloigner de la lettre pour saisir l'esprit. J'ai donc pris la liberté de traduire 'bliss' par 'intuition'. J'aurais sans doute pu le traduire aussi par 'instinct', mais le mot instinct est en fait associé à l'animalité, alors que Campbell évoque plutôt ici une «forme de connaissance immédiate qui ne recourt pas au raisonnement» (intuition: Le Petit Robert), donc associée plutôt à l'aspect supérieur de l'être. On pourrait aussi rendre cette formule – qui n'est pas du reste, sans risques du point de vue de l'interprétation, même en langue anglaise – par le concept de 'la voix intérieure'. On pourrait dire sans doute: «Écoute ta voix intérieure», autrement dit, ce qui vient de toi, du plus profond de toi, et non du monde. Or, c'est précisément le dilemme auquel le jeune adulte se trouve confronté, alors qu'il est très souvent partagé entre ce que lui dit son cœur – mais encore faut-il l'écouter – et ce que lui dit sa tête. Bref, il avance sur le 'fil du rasoir'...

[2] *The Power of Myth* – with Bill Moyers (éd. Doubleday).

j'ai l'audace de penser que l'intuition incite à vivre la vie comme une aventure... – et celui de m'adapter, de me conformer aux attentes des autres. Dans quelle mesure suis-je parvenu, sinon à toujours suivre mon intuition, du moins à trouver un équilibre heureux entre ces deux tendances: celle du coeur et celle de la tête? Je me le demande encore aujourd'hui.

L'alternative devant laquelle se trouve le héros, à cette étape de sa vie, peut se ramener à deux propositions contraires: d'une part, comme je l'ai dit plus haut, il doit se définir par rapport à l'être collectif, se conformer, *être les autres;* mais d'autre part, comme il appert maintenant, il doit aussi veiller à ne pas étouffer son individualité, mais à l'affirmer de plus en plus, en suivant son intuition, pour éventuellement *être soi.* Le héros doit parvenir à assumer cette contradiction, ce qui se ramène le plus souvent à trouver une formule de compromis, c'est-à-dire se plier aux attentes du milieu... mais **sans se perdre de vue.** Ou encore, à trouver la *voie du milieu,* mais sans ignorer qu'on avance alors sur le 'fil du rasoir'.

La règle de conduite qui permet d'y parvenir paraît se trouver dans **l'adaptation par l'action,** ce qui suppose une certaine résistance à la menace d'être englouti par les autres, et non dans l'adaptation par la soumission. Car, vers le milieu de la vie, ceux qui auront manqué de caractère, optant pour l'adaptation par la soumission, seront devenus à tel point conformistes qu'il leur sera impossible de devenir adultes, c'est-à-dire autonomes et responsables, s'étant pour ainsi dire perdus de vue, peut-être pour toujours... On trouve dans le mythe de *l'Odyssée* un épisode qui suggère une métaphore pertinente. Tout se passe, en effet, comme si le navire de ces voyageurs s'était échoué sur les récifs du conformisme parce qu'ils se sont laissés attirer par le chant des Sirènes. Il faut dire que, dans la société de masse à intégration poussée qui est la nôtre, le chant des Sirènes de la production/consommation est particulièrement séduisant, et qu'il est facile de se perdre de vue.

Le héros doit se définir à la fois par rapport au système afin **de réussir dans la vie,** mais aussi par rapport à des valeurs personnelles qui vont lui permettre, le moment venu, **de réussir sa vie.**

Tel est sans doute, aujourd'hui plus que jamais, le plus grand défi que doit relever le héros dans la première phase de sa vie.

La crise de la trentaine

> **«La voie du milieu est difficile: le sentier vers l'accomplissement de soi passe entre les périls du désir et la peur. (...) Le désir et la peur, telles sont les deux émotions qui gouvernent tout ce qui vit dans le monde.»**
> Joseph Campbell [1].

Vers la trentaine, le héros a fait son entrée dans le monde des adultes. Il a donc, en principe, commencé à réaliser deux de ses rêves de vie: développer une relation privilégiée sur le plan affectif et sexuel; et donner une forme à sa démarche au plan professionnel.

Mais c'est alors que, bien souvent, **l'écart entre le rêve et la réalité** se révèle à lui et qu'il lui faut parfois reconsidérer ses choix. Il s'agit ici, en fait, de la manifestation que représente l'opposition dont j'ai parlé plus haut, entre l'aventure et le conformisme, c'est-à-dire une démarche guidée par l'intuition et l'obligation de se conformer, mais à l'état de crise.

On estime à environ 60 p. cent la proportion de jeunes adultes qui traversent une crise à cette étape de leur vie. Ces jeunes, qui supportent mal l'écart entre le rêve et la réalité, ont l'impression de ne pas avoir fait les bons choix et de se trouver dans une impasse. Ces choix, leur semble-t-il, ne leur ont pas apporté la satisfaction qu'ils espéraient en tirer. Ils éprouvent en particulier le sentiment d'avoir sacrifié leur nature profonde – qui correspond à la voie de l'intuition dont parle Campbell – à l'adaptation au monde extérieur.

[1] *The Power of Myth* – with Bill Moyers (éd. Doubleday).

Le plus souvent, une remise en question à cette étape de la vie n'entraîne pas de bouleversement profond de la structure de vie: elle n'inspire généralement que certaines modifications. Mais il arrive aussi qu'elle provoque des changements plus importants: de profession, ou de partenaire, ou même parfois, surtout chez les hommes, un rejet des enfants...

La crise de la trentaine est moins difficile à traverser que ne le sera celle du milieu de la vie, vers la quarantaine, parce que la perception du temps demeure celle de la jeunesse: vers la trentaine, la vie est encore devant soi. Cette crise, pourtant, n'en est pas moins réelle comme en témoigne chez certains des manifestations psychosomatiques telles que fatigue, tension nerveuse, états dépressifs.

Une crise, à cette étape, n'est jamais sans répercussions sur la vie de couple. Sans compter qu'il arrive qu'elle soit vécue à peu près en même temps par les deux conjoints. La plupart des jeunes, aujourd'hui, prennent volontiers la vie de couple pour acquise et n'acceptent pas de se sacrifier, non pas à l'autre, mais à la relation même. Car l'amour est un choix: il entre de la détermination dans le projet de vivre ensemble. Par ailleurs, ils entretiennent par rapport à la vie de couple, des attentes excessives, sans pour autant consentir à investir le temps et l'énergie nécessaires pour la vivre de façon constructive. Il faut dire que la trentaine est la période de la vie où on investit beaucoup dans le travail, la carrière et la socialisation, à notre époque plus que jamais sans doute, ce qui a souvent pour effet de compromettre l'équilibre du couple.

C'est ainsi qu'on peut observer, ces années-ci, une baisse du désir sexuel chez les couples de cet âge, ces jeunes adultes sacrifiant leur vie émotionnelle et sexuelle à leurs activités professionnelles. Ce qui n'est pas sans risques. Comme le fait remarquer le Dr Gilbert Tordjman, qui a une longue expérience de médecine psychosomatique et de thérapie du couple: «Les couples à la trentaine ne peuvent pas sans danger sacrifier leurs pulsions sexuelles et affectives sur l'autel du travail. Ignorer ces pulsions conduit à des conflits conjugaux majeurs, susceptibles de compromettre l'équilibre et l'union du couple.» [1]

---

[1] *Les espaces de la vie – 17/33 ans* (éd. Nathan).

«La femme de 30 ans»

Tel est le titre d'un roman de Balzac, qui décrit la femme de cet âge, parvenue à son *déclin*... «Autres temps, autres moeurs»... et autres valeurs!

Cela dit, la trentaine représente, encore aujourd'hui, une étape cruciale pour la femme. Selon les statistiques, c'est vers cet âge que se produit le plus grand nombre de tentatives de suicide. La cause en est, le plus souvent, une vie de couple insatisfaisante qui la pousse à vouloir mettre fin à ses jours: la perte d'un partenaire, la crainte de le perdre, ou encore la frustration entraînée par une vie conjugale décevante. Encore une fois, l'écart entre le rêve et la réalité... L'homme et la femme, il faut bien le dire, n'accordent pas à la vie de couple la même importance. Pour la plupart des femmes, la vie de couple représente encore, malgré ce qu'on en dit, l'aspect dominant de sa vie.

Mais c'est aussi au moment de la trentaine que, de plus en plus, la femme doit choisir entre la carrière ou la famille... Ou 'choisir les deux'! Pour un grand nombre de femmes, la naissance d'un enfant représente encore le critère de l'accès au monde des adultes; mais, par ailleurs, pour un nombre de plus en plus grand, le travail à l'extérieur paraît essentiel à leur épanouissement; et pour celles qui assument les deux rôles à la fois, la tâche que représente une telle entreprise commence, vers la trentaine, à leur paraître insurmontable.

C'est donc souvent à ce moment de sa vie que la femme remet en question ses choix antérieurs: celle qui reste au foyer se sent déprimée; celle qui travaille à l'extérieur, déçue dans ses attentes; et celle qui est partout à la fois, éclatée dans le temps et vidée de son énergie... Il y a des exceptions, il est vrai. Mais, contrairement à ce qu'on pouvait espérer à notre époque de *progrès,* le sort de la femme ne paraît pas s'être amélioré:

partagée qu'elle est entre des styles de vie – opposés ou complémentaires? C'est là, la question. Et c'est, à notre époque, le grand dilemme auquel la femme est confrontée... à toutes les étapes de sa vie.

• • •

La vie n'est pas sans risques. À chaque étape, le héros doit relever des défis, traverser des épreuves. De ce point de vue, il n'y a pas de progrès. Il s'agit toujours du périple du héros dans le temps de sa vie.

II – L'INITIATION DU HEROS

«Lorsqu'on parvient à confronter la Sphinx et à vaincre la peur de mourir, la mort n'a plus de prise sur soi et la menace de calamité s'évanouit. Vaincre la peur de mourir permet de recouvrer la joie de vivre. On ne parvient à accepter inconditionnellement la vie que lorsqu'on a accepté la mort, non pas comme le contraire de la vie mais comme l'une de ses manifestations. Car la vie, qui ne cesse de devenir, entraîne fatalement la mort derrière elle. Vaincre la peur de mourir donne le courage de vivre. Telle est l'initiation cardinale de toute aventure héroïque...»
Joseph Campbell [1].

LA RENCONTRE AVEC LA SPHINX

C'est vers le milieu de sa vie que le héros doit résoudre pour lui-même l'énigme de la Sphinx.

Parvenu au sommet de la montagne avec, derrière lui, le flanc ascendant et, devant, le flanc descendant; au milieu de sa vie, entre l'ascension qui commence à quatre pattes et la descente qui se termine... à l'aide d'une canne, pour la première fois le héros a une vue d'ensemble du cycle de *sa* vie. Il prend alors conscience du chemin parcouru: le passé sur lequel il ne peut plus revenir et de l'avenir incertain, comme un abîme insondable – le temps qu'il lui reste à vivre... C'est en quoi consiste la résolution de l'énigme de la Sphinx: dans le fait de voir la vie dans son ensemble, avec sa fin inéluctable, et de l'assumer.

Le héros se retrouve alors seul, face à lui-même.

[1] *The Power of Myth* – with Bill Moyers (éd. Doubleday).

Résoudre l'énigme de la Sphinx, c'est vaincre la mort, plus précisément la peur de la mort inévitable – la mort dans la vie; mais aussi, vaincre l'instinct de mort – la vie dans la mort – qui est souvent plus fort que l'instinct de vie, déterminant nos pensées, nos émotions, nos sentiments, nos paroles et nos actes.

Résoudre l'énigme de la Sphinx, consiste aussi à saisir qu'il n'est pas un instant où je ne meure pour renaître; que la mort et la vie sont les deux aspects de l'expérience d'être. Tel que je me connais, ici et maintenant, je ne suis pas la forme définitive de mon être: je dois mourir sans cesse pour renaître à l'infini. Vaincre la mort revient à vaincre, jour après jour, la peur des petites morts successives qui permettent à la vie de devenir, et trouver le courage de vivre *en dépit de* – c'est dire ***«oui»* à la vie.**

Résoudre l'énigme de la Sphinx, c'est aussi prendre conscience du processus universel de destruction et de construction. Mais alors que l'aspect destructif est relativement facile à reconnaître à travers son propre vieillissement au plan physique et ce qu'il entraîne au plan psychologique, l'aspect constructif est souvent plus difficile à reconnaître: il se trouve dans l'expansion de la conscience qui doit se poursuivre toute la vie, compensant pour les pertes associées au déclin.

Telle est la dimension initiatique de l'expérience que représente la confrontation avec la Sphinx: mourir pour renaître à un niveau de conscience plus élevé, élucidant ainsi le mystère de l'aventure héroïque de vivre.

Témoignage

Un matin, j'allai prendre place dans un fauteuil du salon où je restai quelques minutes sans bouger. Puis j'éclatai en sanglots...

J'avais un peu plus de 38 ans.

Quelques mois plus tôt, j'avais essuyé un échec cuisant, au plan professionnel, dont je ne parvenais pas à me relever. Je ne savais plus quelle orientation donner à ma vie d'homme d'action. Et ce matin-là, à la suite de je ne sais quel cheminement intérieur, je me trouvai soudain devant l'évidence d'un échec au plan de ma vie personnelle. J'avais le sentiment d'être coincé non seulement dans ma vie mais jusque dans mon être. Je ne voyais plus aucune issue ni à l'extérieur ni à l'intérieur. J'étais, comme on dit, un 'beau cas' d'inhibition de l'action, pour reprendre la formule du biologiste Henri Laborit, mais dont les travaux m'étaient encore inconnus à l'époque. Effondré dans mon fauteuil, je me sentais totalement impuissant, incapable de réagir, encore moins d'agir sur le monde et sur moi-même.

C'est, en quelques phrases, un assez bon exemple d'une crise relativement aiguë du milieu de la vie.

Mon épouse prit alors l'initiative de faire appel à un ami qui venait lui-même de se tirer d'une dépression. Il me rendit visite le jour même. Il m'écouta patiemment lui dire que j'avais le sentiment de me trouver dans une cul-de-sac, que plus rien n'avait de sens, que j'avais souvent envie de pleurer...

«Mon vieux, me dit-il, tu fais une dépression...
– Mais je ne suis pas fou!
– Ça, ajouta-t-il en riant, c'est toi qui le dis...»

J'ai esquissé un certain sourire. Mais j'avais les yeux qui roulaient dans l'eau.

Il m'expliqua qu'une dépression dure de 12 à 18 mois, qu'il est souhaitable de consulter un spécialiste, peut-être même d'entreprendre une thérapie afin de comprendre un peu mieux son fonctionnement psychologique. Il ajouta qu'on finit par sortir grandi de cette expérience... Mais, après un moment de silence, il reconnut avec un sourire en coin qu'on n'en sort jamais tout à fait, en ce sens qu'il en reste toujours une certaine lucidité... Plusieurs années plus tard, je devais découvrir cette réflexion fulgurante du poète René Char: «La lucidité est la blessure la plus proche du soleil...»

Et c'est ainsi qu'à travers cette souffrance, j'accouchai de mon être adulte.

Pendant cette transition, tout en assumant ma survie au plan matériel, assez difficilement je dois le dire, mais soutenu avec intelligence et affection par mon épouse, je m'employai surtout à me comprendre et à trouver le sens de ma vie. Ce fut toute une entreprise.

Ayant eu, comme on dit dans le langage des feuilletons, une 'enfance malheureuse' et une 'adolescence difficile'..., la thérapie que je décidai d'entreprendre a permis d'éclairer plusieurs aspects de mon vécu. La révélation la plus importante, pour ce qui est du moins de l'étape où je me trouvais, consista à découvrir que j'étais partagé, sans doute même déchiré, entre l'homme de devoir et l'homme de plaisir – un des grands dilemmes de la crise du milieu de la vie.

Cette thérapie devait être déterminante dans ma vie: non seulement elle m'éclaira sur moi-même mais elle me permit de me familiariser avec le fonctionnement de la psyché en général. Ce qui m'autorise aujourd'hui à soutenir que l'étude de la psychologie, au-delà des données élémentaires, ne peut vraiment se poursuivre qu'à travers l'analyse approfondie de son propre fonctionnement.

Nous étions, par ailleurs, en pleine révolution psychédélique. Je suis de ceux qui ont tiré un enseignement véritable de ces expériences, bonnes et mauvaises. On se rend mal compte aujourd'hui de l'influence considérable de cette vague d'expériences d'états modifiés de conscience sur les mentalités. Il n'y a pas de doute dans mon esprit que la révolution psychédélique, qu'on a plus ou moins occultée depuis, a contribué pour beaucoup à l'évolution des valeurs dans notre société occidentale.

Quant à moi, ces expériences m'auront permis d'entrevoir, au-delà de la conscience ordinaire, au-delà du monde de la dualité, des concepts et des mots, l'invisible derrière le visible... Mais je ne vais pas m'étendre davantage, ici, sur la nature de ces expériences et sur l'enseignement que j'en ai tiré, si ce n'est pour ajouter qu'elles m'ont incité à entreprendre une démarche sérieuse au plan psycho-spirituel.

Cette démarche devait, à un moment, éveiller mon intérêt... pour la mort. Je ne sais comment exprimer autrement, et surtout comment expliquer le fait que j'aie consacré tant d'années à élucider cette question pour moi-même. Mais, quoi qu'il en soit, j'y suis parvenu. Je sais aujourd'hui que la mort, du moins telle qu'on la perçoit souvent, c'est-à-dire comme l'extinction de la vie, n'existe pas, alors qu'en fait elle est présente à tous les instants de la vie et que, d'instant en instant, je meurs, je meurs, je meurs..., mais pour renaître chaque fois et, ainsi, m'éveiller un peu plus à moi-même.

Je puis donc dire que j'ai vécu la transition du milieu de la vie avec la plus grande intensité. Ce fut même sans doute l'étape la plus intense de ma vie, et aussi la tâche la plus considérable qu'il m'ait fallu accomplir jusqu'ici.

Un jour, j'ai su que la vie n'avait de sens qu'en fonction d'une démarche de croissance, d'un cheminement conscient au plan psycho-spirituel. J'ai donc résolu de m'y employer activement désormais. Ce qui allait donner à mon action dans le domaine de la communication une nouvelle orientation.

Je compris alors que j'en avais fini avec la transition du milieu de la vie; et que je me trouvais désormais engagé dans la seconde phase du cycle de vie...

... Mais ça, c'est une autre histoire!

DE LA TRANSITION DU MILIEU DE LA VIE – COMME CRISE

Je ne prétends pas que tout le monde vive la transition du milieu de la vie comme une crise. Je ne prétends pas non plus que, chez ceux qui la vivent comme telle, elle entraîne nécessairement une dépression, comme ce fut le cas chez moi... Et je ne voudrais surtout pas que les informations et les réflexions que je vais communiquer sur la nature de cette transition contribuent à augmenter chez certains les difficultés qui lui sont associées. Je suis conscient du risque que comporte la communication: alors qu'elle vise, en fait, à prévenir les états de mal-être qui peuvent se manifester à ce moment et à en atténuer les effets, il n'y a pas de doute qu'elle puisse aussi, parfois, contribuer à les susciter ou à les aggraver par suite de la suggestion qu'elle comporte. Mais je ne puis parler de la transition du milieu de la vie qu'à partir de mon expérience personnelle et de ce que j'ai pu observé en tant que psychothérapeute. Sans compter que...

• ... selon plusieurs études, la transition du milieu de la vie est effectivement vécue comme une crise par environ 80 p. cent des gens. Ce qui justifie qu'on la considère sous cet angle. De plus, cette crise qui, jusqu'ici, concernait surtout les hommes, paraît s'étendre de plus en plus aux femmes.

• D'autre part, une réflexion sur la transition du milieu de la vie et sur la crise qu'elle entraîne parfois me paraît s'imposer d'autant plus aujourd'hui que les *baby-boomers* parviennent, ces années-ci, à cette étape de leur vie. Ce qui, étant donné le nombre considérable de ceux et de celles qui la traversent ou qui vont la traverser à peu près en même temps, pourrait bien avoir une très grande influence sur la collectivité. Cette expérience, vécue simultanément ou presque par un grand nombre d'individus, devrait inspirer dans les années qui viennent une transformation de la vision collective, en fonction de valeurs différentes.

• Enfin, en nous familiarisant avec cette crise en particulier, nous allons du même coup nous familiariser avec la structure de toutes les crises de la vie. Car, bien que les contenus soient différents, la structure fondamentale demeure la même.

OBJET DE LA TRANSITION

La transition du milieu de la vie est, par définition, une étape charnière entre les deux grandes phases de la vie. En quelques années, il faut, en principe, compléter la démarche de la première: réaliser ses derniers rêves de jeunesse; et amorcer celle de la seconde: accéder à la maturité.

Par rapport à la première phase:

La transition du milieu de la vie représente, en fait, l'aboutissement de l'évolution progressive de la première phase, dont l'objet était de devenir adulte. C'est maintenant que l'individu doit dépasser le niveau de *l'être collectif* auquel il se définissait surtout jusque-là – alors qu'on est les autres, c'est-à-dire le produit des conditionnements par l'éducation et des valeurs du milieu – pour parvenir à celui de *l'être individuel,* relativement libéré de ces conditionnements. Jusque-là, l'individu poursuivait, en principe, un cheminement progressif dans ce sens, mais le plus souvent inconsciemment. Il lui faut maintenant franchir résolument cette étape. Il lui faut maintenant devenir son propre père-mère. Son propre maître.

Par rapport à la seconde phase:

L'épreuve que représente la transition du milieu de la vie consiste à se préparer à entreprendre la nouvelle phase, autrement dit à **passer du sprint de la jeunesse au marathon de la maturité.**

Cette transition est donc l'un des temps forts de la vie, qui débouche sur la seconde phase, plus riche que la première – quoi qu'on pense de nos jours, obnubilés que nous sommes par la jeunesse – et elle est l'occasion d'une résurgence d'énergie, d'un élargissement de la vision, qui vont permettre d'accéder progressivement à une véritable maturité.

Parvenu à la transition du milieu de la vie, alors qu'on éprouve soudain un sentiment d'urgence, il est nécessaire de faire le point: de s'interroger sur le sens de sa vie, de redéfinir ses valeurs personnelles et ses priorités. C'est le moment de faire de nouveaux choix.

Cet examen lucide doit permettre de sortir grandi de cette épreuve, sans lequel on risque, au contraire, d'en sortir diminué... Cette interrogation implique, par ailleurs, de se réconcilier avec soi-même et de se redéfinir à un niveau de conscience plus élevé.

DE «LA CRISE D'IDENTITÉ DE L'ÂGE ADULTE»

Selon Carl Jung, qui fut le premier, du moins à l'époque moderne [1], à attirer l'attention sur l'importance de la transition du milieu de la vie, qu'il définit comme «la crise d'identité de l'âge adulte», elle se situe plus précisément entre 38 et 43 ans. Mais j'ai observé que, depuis une dizaine d'années, elle paraît se produire plus tôt, entre 35 et 40 ans – signe des temps sans doute... Quant à la durée de cette crise, elle s'étend en général sur une période de deux à trois ans.

Ce qui déclenche la crise

Nous sommes en général assez peu convaincus que le **temps** suffit à déclencher les crises, en particulier celle du milieu de la vie. Nous cherchons le plus souvent les causes dans les circonstances, les événements, les conditions extérieures. Pourtant, quoi de plus irréductible que le temps! Car le temps est le moteur de toute chose. Il se manifeste sur tous les plans. À l'échelle humaine: sur le plan psychologique aussi bien que sur le plan biologique.

[1] Cette incidente peut paraître énigmatique, mais il se trouve que plusieurs auteurs dans le passé ont fait allusion à la transition du milieu de la vie, comme, par exemple, Dante dans sa *Divine Comédie...* Ce dont je parlerai dans un prochain livre-mosaïque.

Sans compter que le temps s'impose aussi dans la perception que les autres ont de nous. Arrive un temps – justement – où on ne s'adresse plus à nous de la même façon. Les jeunes, en particulier, nous voient vieillir et nous le rappellent par leurs attitudes.

Mais il arrive cependant que certaines conditions extérieures interviennent dans le déclenchement de la crise du milieu de la vie – comme ce fut le cas pour moi. Il est évident qu'à cette étape, toute condition extérieure de nature à entamer l'estime de soi peut agir comme déclencheur. Par exemple, une mise à pied, une faillite, un divorce, un accident grave, une intervention chirurgicale... – la vie quoi!

Mais dans quelle mesure les conditions sont-elles toujours aussi *extérieures* qu'on voudrait le croire? Qu'est-ce qui, au juste, entraîne le divorce, ou même la mise à pied? Ou encore, quelle est la cause première de tel accident, de telle intervention chirurgicale, de telle faillite...? Dans quelle mesure, en effet, l'évolution même de l'individu dans le temps n'est-elle pas pour quelque chose?

Je ne nie pas pour autant l'existence de conditions extérieures. Mais je crois important d'attirer l'attention sur une interaction subtile des événements et des êtres, *dans le temps* – justement!

Une seconde adolescence

La crise d'identité à l'âge adulte évoque celle de l'adolescence.

Au moment de l'adolescence s'amorce un mouvement intérieur qui tend à une libération relative de la dépendance à l'égard des parents et du milieu familial. Il s'agit alors de trouver son identité. Mais, paradoxalement, cette étape de la première jeunesse n'en est pas moins régie par l'irresponsabilité... À l'âge adulte, vers le milieu de la vie, s'amorce un mouvement intérieur de même nature, qui tend cette fois à une libération de la relation de dépendance à l'égard du milieu social. Il s'agit alors de trouver sa véritable identité, au-delà de l'identité sociale. Ce mouvement, dans la mesure où il évoque celui de l'adolescence, suscite une vague nostalgie de l'irresponsabilité de la première jeunesse, alors qu'on n'était pas encore tenu pour vraiment responsable de sa vie. Ce qui n'est pas sans provoquer parfois des remises en question de ses engagements à l'égard des autres, voire même, pour ceux qui sont mariés, à l'égard du conjoint et des enfants; mais aussi à l'égard du monde en général, aux plans de la profession, de la fonction, du rôle. C'est un moment de la vie où on tire très fort sur sa chaîne... Comme si c'était la dernière chance de se libérer pour, enfin, vivre la vie sans contraintes – comme une aventure. Je me rends compte que ces propos tiennent pour beaucoup des fantasmes masculins. Je dois préciser, du reste, que cette nostalgie de l'état d'irresponsabilité de la première jeunesse est nettement plus manifeste chez l'homme que chez la femme. On trouve peut-être ici l'une des raisons qui font que la crise du milieu de la vie demeure surtout associée à l'homme.

L'homme de plaisir et l'homme de devoir

Dans le prolongement de cette réflexion, il faut aussi souligner la résurgence, au moment de cette transition, de l'opposition entre les deux tendances dont il a été question à propos de la première phase: l'une incitant à vivre la vie comme une aventure et l'autre, au contraire, de façon plus conformiste afin de trouver sa place dans la société. Cette opposition, qui tient parfois du dilemme – encore une fois surtout chez l'homme – se traduit par un conflit intérieur difficile à résoudre entre l'homme de plaisir et l'homme de devoir.

Chez la femme

La transition du milieu de la vie paraît moins difficile pour la femme que la crise de la trentaine. Peut-être la disposition chez elle à assurer la continuité tout au long de sa vie, qu'elle en soit consciente ou non, et plus particulièrement dans le cas où son compagnon ‘traverse sa crise’, comme on dit, intervient-elle pour beaucoup dans le fait que la femme paraît s'en tirer plus facilement. Mais sans doute faut-il tenir compte ici de l'effet de la tendance actuelle à l'uniformisation – au moins relative – des rôles traditionnels. En assurant davantage leur dimension masculine – certains diraient: en se masculinisant! – les femmes seraient de plus en plus sensibles à certaines difficultés d'être, jusqu'ici associées aux hommes, telles que, précisément, la crise du milieu de la vie, comme par ailleurs à certains états physiologiques tels que les accidents cardio-vasculaires... Il devient de plus en plus difficile, ces années-ci, de cerner la réalité psychosociale parce qu'elle évolue très rapidement.

Le couple

Le secret désir de se libérer relativement des contraintes qu'on s'est imposées au cours de la première phase, ou du moins de réévaluer ses engagements, se traduit souvent, chez ceux et celles qui ont une vie de couple, par une interrogation sur la qualité de ce lien, qui peut aller jusqu'à sa remise en question – davantage chez l'homme, encore une fois – que chez la femme.

La tension chez l'homme est d'autant plus grande qu'il projette souvent sur sa compagne l'image de la mère. Cette tension paraît même, de ce point de vue, proportionnelle à l'intensité de la projection. Or, la régression au stade de l'adolescence qu'entraîne la crise du milieu de la vie, éveille souvent chez l'homme l'impulsion à se libérer de la relation parentale à l'égard de sa conjointe. En réalité, ce n'est pas tant la personnalité de la conjointe qui est en cause, ici, mais la nature du lien lui-même, avec ce qu'il comporte de contraintes et d'obligations. Car c'est surtout par rapport à la vie de couple que l'opposition entre l'homme de devoir et l'homme de plaisir se fait sentir. Il y a peu d'hommes, à ma connaissance, qui ne remettent en question, à ce moment de leur vie, sinon ouvertement du moins dans les zones obscures de la psyché, leur lien conjugal. Ce qui ne va pas, par ailleurs, sans une certaine culpabilité, qui ajoute encore à l'exigence de cette transition.

C'est aussi très souvent à ce moment que les enfants parviennent eux-mêmes à la crise de l'adolescence: la contestation de l'autorité parentale qu'ils manifestent alors a souvent pour effet d'accentuer la crise du milieu de la vie chez les parents, qui en viennent à s'interroger sur le sens de leur fonction parentale. Et je dirais – encore une fois – plus spécialement dans le cas de l'homme, de sa fonction paternelle. Comme je l'ai signalé plus haut, il est d'autant plus difficile aujourd'hui de se définir comme père, qu'on a soi-même participé dans sa jeunesse à la vague de contestation de l'autorité parentale et surtout paternelle, alors que ses propres enfants parviennent eux-mêmes à l'âge de la contestation, faisant ainsi écho, une vingtaine d'années plus tard, à ce qui fut l'amorce d'une véritable révolution. Certains hommes trouvent malaisé d'assumer à cette étape de leur vie la fonction qu'ils ont contestée chez les autres, parfois même avec fracas, dans leur jeunesse. Il faut se rendre à l'évidence et reconnaître que la recherche de nouveaux modèles d'autorité ne va pas sans ratés. Alors qu'on voit, aujourd'hui, de plus en plus de pères s'occuper activement de leurs jeunes enfants – ce dont les médias font d'ailleurs grand état – il n'en demeure pas moins que l'interaction avec les adolescents est, en fait, beaucoup plus difficile. Les pères ont alors, parfois, tendance à abandonner la partie. On trouve sans doute ici l'une des causes de ce qu'on appelle la 'démission des pères'. Or, par ailleurs, cette démission n'est pas sans représenter, très souvent, un écueil pour la vie de couple. Depuis quelques années, certains conseillers conjugaux en sont venus à penser que, dans bien des cas, l'homme souhaite en réalité non pas divorcer de sa compagne mais plutôt de sa famille, afin de se libérer des contraintes qu'elle représente, entraînant du même coup une libération... de la mère! [1]

Il est évident que les crises que traverse l'un des conjoints ont toujours des répercussions sur l'autre et représentent autant d'écueils pour la vie de couple. D'autant plus qu'on a généralement tendance à chercher à l'extérieur de soi, et surtout dans la vie de couple elle-même, plutôt qu'à l'intérieur de soi, la cause de ses états de mal-être. Alors qu'en réalité les problèmes du couple sont très souvent l'effet de problèmes individuels qui n'ont pas été résolus.

Je me suis souvent demandé pour quelle raison les hommes, au moment où ils traversent une crise, cherchaient souvent à en faire porter la responsabilité à leur compagne. Aussi longtemps, semble-t-il, qu'un homme ne s'assume pas, il a tendance à faire porter aux femmes en général et à sa compagne en particulier,

[1] Je reviens plus loin sur ce point, à propos des crises plus aiguës du milieu de la vie.

la responsabilité non seulement de ses crises mais aussi... de tout ce qui ne marche pas dans le monde! Et ce, parce qu'il projette sur elle(s) l'image de la mère, de celle qui l'a mis au monde, l'éveillant ainsi, pour reprendre la formule de Joseph Campbell, à «l'horreur de vivre»... Curieusement, la plupart des femmes, à moins de s'être elles-mêmes éveillées, ont culturellement (je n'ose pas dire: naturellement) tendance à se tenir pour responsables de tout ce qui ne marche pas dans le monde... De ce que la porte ferme mal, de ce que le lait à suri, de ce qu'il pleut, de ce que les enfants ont le rhume... J'exagère à peine!

Chez les célibataires

Chez les célibataires, la crise du milieu de la vie se manifeste surtout par un profond sentiment d'isolement. C'est particulièrement vrai pour les homosexuels qui vivent souvent cet isolement de façon dramatique, dans la mesure où, le plus souvent, ils assument mal le vieillissement.

... À la recherche de nouveaux paradigmes

Mais, comme à peu près tout le reste à notre époque, la transition du milieu de la vie n'est plus ce qu'elle était...

Il devient de plus en plus difficile, en effet, de cerner la problématique de la crise du milieu de la vie parce qu'aujourd'hui, les normes, les repères, les valeurs, ont éclaté; et qu'on peut désormais se définir en fonction d'une grande diversité de 'modèles'. Car, il n'existe pas encore de modèles éprouvés de ce que nous voulons être et qu'il nous faut précisément les inventer. Ce qui ne va pas sans essais et erreurs. Cette situation représente de toute évidence, à notre époque, un gain au plan de l'évolution, mais elle ne va pas sans risques, la diversité des styles de vie suscitant une certaine confusion dans les esprits.

Il m'a donc fallu généraliser. Mais en définitive, je dirais que, quels qu'aient été les choix de la première phase de la vie, la transition du milieu de la vie entraîne nécessairement leur remise en question.

Allons-nous vers une crise collective?

Une réflexion sur la transition du milieu de la vie paraît d'autant plus importante aujourd'hui que les *baby-boomers* parviennent de plus en plus nombreux à cette étape de leur vie. Ce qui donne à penser que la crise associée à cette transition pourrait bien prendre dans les années qui viennent une dimension collective.

La transition du milieu de la vie est déjà difficile à vivre, pour certains d'entre eux. Et ce, pour plusieurs raisons. D'abord, l'éducation de ces jeunes adultes les a mieux préparés, et les valeurs de la société actuelle les a mieux conditionnés, à vivre la phase de la jeunesse. Ils seraient donc, dans l'ensemble, moins bien préparés à entrer dans la phase de la maturité. Par ailleurs, les valeurs de cette génération sont surtout extraverties, davantage tournées vers l'extérieur, vers l'objet plutôt que vers le sujet: elles mettent donc l'accent sur l'importance de réussir dans la vie plutôt que de réussir sa vie...

Les baby-boomers ont jusqu'ici, au fur et à mesure de leur évolution dans la vie, profondément influencé les valeurs socioculturelles. Il se pourrait bien que la multiplication des crises individuelles ait, dans les années qui viennent, une grande répercussion sur les valeurs collectives, contribuant ainsi à l'émergence de nouvelles priorités – qui seraient justement celles qu'on associe à la seconde grande phase de la vie.

Certains de ces hommes et de ces femmes d'action ne trouvent pas, au moment où ils vont entrer dans la seconde phase de la vie, de modèles qui les inspirent. Ce qui a pour effet d'accentuer leur anxiété et d'inciter certains d'entre eux à poursuivre une démarche en fonction des priorités de la première phase, avec ce que cela comporte de névrotique, dans la mesure où ils risquent d'entretenir, comme le dit Jung, un «mauvais rapport au temps». On peut, du reste, observer que cette transition entraîne chez certains des états de mal-être qui se manifestent par un burn-out ou même une dépression.

C'est de la transformation des baby-boomers que dépend aujourd'hui la transformation de la société – la transformation du monde. Telle est la tâche qui attend les baby-boomers – rien de moins! – et à laquelle ils doivent désormais se consacrer.

Des états de mal-être plus aigus: le burn-out et la dépression

Il arrive qu'au moment de la transition du milieu de la vie, on éprouve le sentiment d'être coincé dans sa vie et jusque dans son être, impuissant à réaliser son potentiel, à cause des conditions extérieures de sa vie, alors que ce sont plutôt les conditions intérieures qu'il faudrait considérer.

Il est évident que je ne puis parler des états de mal-être plus aigus qu'à partir de ma propre expérience. Selon que l'on a soi-même traversé ou non une telle épreuve, on sera enclin à leur accorder plus ou moins d'importance. Ou encore, selon que l'on accepte ou non de le reconnaître publiquement... Il est difficile d'être objectif lorsqu'on aborde le cycle de vie. À moins de s'abstraire du discours – comme le veut l'approche scientifique – et encore! C'est pourquoi j'ai tenu à témoigner, à chaque étape, de ma propre expérience. Ce qui permet au lecteur de prendre une certaine distance par rapport à ma recherche.

J'ai fait une dépression. J'ai aussi fait un burn-out... Je l'ai dit. Je voudrais ajouter qu'avec le recul, je considère que ces expériences ont été non seulement déterminantes dans ma vie, ce qui va sans dire, mais positives. J'ai déjà dit du burn-out en particulier que s'il n'existait pas, il faudrait l'inventer... Du moins pour ce qui est de l'occasion qu'il offre de se recentrer et d'accéder à un niveau de conscience plus élevé. À mes yeux, il en va de l'expérience personnelle de ces états comme de celle des humanités: je reconnais ceux qui sont 'passés par là' à une certaine lucidité, je dirais même à une certaine disposition à l'équanimité... Ce qui n'est pas peu dire! Je considère, en fait, l'expérience de tels états comme essentiellement initiatique.

Voilà pour ce qui est de l'objectivité.

Cela dit, pour ceux qui redouteraient une telle expérience – ce que je peux comprendre, car on n'y entre pas de plein gré – je précise que la transition du milieu de la vie ne provoque pas obligatoirement des états de mal-être aigus tels que le burn-out ou la dépression. Il est d'autant plus difficile d'évaluer la proportion de ceux qui font une telle expérience que les états de mal-être sont non-spécifiques, c'est-à-dire qu'ils se manifestent diversement. Il demeure, cependant, que l'interrogation qui s'impose au milieu de la vie, de même que les états anxieux qui en découlent, sont propices au burn-out ou même, comme ce fut le cas chez moi, à la dépression. Il n'y a pas de doute, quant à moi, que la transition du milieu de la vie, telle qu'elle est vécue ces années-ci, contribue à faire du burn-out, en particulier, le mal du siècle [1].

Le burn-out apparaît souvent, du reste, comme une résistance à passer de la première phase de la vie à la seconde, de l'adaptation au monde extérieur à l'approfondissement de son monde intérieur. Le burn-out paraît très souvent causé par un arrêt de la croissance.

Quant à la dépression, que je vois comme l'affrontement de son dragon intérieur, elle peut être causée, soit par les conditions extérieures, alors que les repères éclatent, par exemple à la suite d'une épreuve; soit par les conditions intérieures, c'est-à-dire certaines prédispositions de l'individu qui se concrétisent, à un moment ou l'autre de l'existence, comme par exemple au moment de la transition du milieu de la vie.

Le burn-out ou la dépression, c'est l'expérience de la descente aux enfers, au plus profond de son être, là où se trouve le dragon qu'il faut vaincre. Comme le dit Jung: «... on apprend, au cours de ce difficile travail, à prendre le vrai, le beau et le bien là où il se trouve. Et ce n'est pas toujours là où on le cherche: c'est bien souvent dans l'ordure ou sous la garde du dragon. «In Stercore Invenitur» (on le trouve dans l'excrément), dit une sentence magistrale de l'alchimie, et ce qu'on trouve n'en est pas moins précieux.» [2]

Dans l'École de psychologie jungienne on associe, du reste, l'angoisse qui accompagne les expériences intérieures au processus d'individuation, qui tend à la réalisation de l'être, et on la définit comme la «nigrido» ou stade inférieur du processus

---

1 Voir mon livre avec audio-cassette *Prévenir le burn-out* (éd. Héritage).
2 *Psychologie du transfert* (éd. Albin Michel).

alchimique. Particulièrement chez les hommes – encore une fois – qui éprouvent, au moment de la transition du milieu de la vie, le besoin d'une initiation à la masculinité [1].

Je me suis souvent demandé à quelle révélation difficile tendaient, en définitive, ces états de mal-être plus aigus. Le mot qui me vient, et auquel j'ai déjà recouru, est celui de ***lucidité.*** Il me semble qu'à certains moments, comme par exemple au milieu de la vie, qui me paraît, de ce point de vue, une moment privilégié, des individus sont frappés par un éclair de lucidité qui les atteint en pleine action, libérant toute une kyrielle de questions sur le sens de la vie.

C'est peut-être ce à quoi pensait le poète Gérard de Nerval lorsqu'il écrivait: «L'hypocondrie mélancolique est un terrible mal: elle fait voir les choses telles qu'elles sont...» Mais ne serait-ce pas plutôt le contraire: ne serait-ce pas parce que, soudain, on voit les choses telles qu'elles sont, qu'on sombre dans ce qu'il appelait 'l'hypocondrie mélancolique' – qui serait une expérience nécessaire sur la voie de la sagesse?

C'est en quoi, précisément, toute crise et, plus particulièrement celle du milieu de la vie, peut être vécue comme une initiation. Ce serait même, de nos jours en Occident, la seule véritable initiation.

DE LA MORT *INITIATIQUE*

Au cœur de la transition du milieu de la vie se trouve la confrontation, plus ou moins consciente, avec l'éventualité de *sa* propre mort. Mais pour que cette transition prenne vraiment un caractère initiatique, elle doit éventuellement être vécue en pleine conscience.

[1] Comme le disait le psychologue jungien Guy Corneau dans une interview: «Mon hypothèse est que la dépression, les ulcères, les faillites, les accidents sont autant de rites d'initiation contemporains que se donnent inconsciemment les hommes pour accéder à une vie adulte et sortir de la dépendance maternelle.» IN *Guide Ressources,* nov.-déc. 88, vol. 4, no 2.

Car la démarche que je suggère se veut être initiatique: non pas seulement informative, mais transformative. Je souhaite qu'elle soit l'occasion d'une véritable conscientisation. Car, ou bien vous avez traversé la transition du milieu de la vie – mais, compte tenu des valeurs de notre société qui se définissent à peu près exclusivement en fonction de l'adaptation au monde extérieur, vous n'avez peut-être pas poussé assez loin cette confrontation; ou bien vous êtes parvenu à cette étape de votre évolution – et il me paraît alors important d'alimenter votre réflexion, de vous fournir certains outils pour la structurer; ou bien, enfin, vous êtes encore dans la première phase de la vie – et les informations que je communique ici peuvent sans doute ajouter une dimension importante à votre vie dans l'action en vous permettant d'en avoir déjà une vue d'ensemble.

Dans la première phase de la vie active, on est assez peu conscient du temps qui passe et de sa propre évolution dans le temps. On va au-devant de sa vie. Car le temps apparaît devant soi. Mais au moment de la transition du milieu de la vie, alors qu'on atteint le sommet de la montagne, une division s'opère dans la perception du temps de *sa* vie: il y a, désormais, le temps derrière soi, sur lequel on ne peut plus revenir; et le temps devant soi: *le temps qui reste à vivre...* Et pour la première fois, on constate que le temps nous échappe.

Cette prise de conscience ébranle l'image de soi. L'adéquation au temps est, en fait, d'autant plus difficile à vivre parce que l'on se raccroche à la vision d'hier. Car il est difficile de lâcher prise, de renoncer à ce qui nous définissait, à ce à quoi nous nous étions identifiés jusque-là, pour simplement *aller avec le temps.*

Le temps passe... Oui, bien sûr. Mais derrière ce constat, il s'en trouve un autre qu'on cherche à occulter. Comme disait le poète: «C'est nous qui passons...»

Car l'interrogation sur le temps qui passe, le temps de sa vie, débouche très souvent sur la confrontation avec l'éventualité de sa propre mort.

L'interrogation sur la mort, qui s'impose une première fois au moment de l'adolescence, est particulièrement intense vers le milieu de la vie et revient entre cinquante-cinq et soixante ans, pour ensuite se manifester plus ou moins jusqu'à la fin de la vie. Mais c'est au moment de la transition du milieu de la vie, au moment où l'individu réalise émotivement qu'il est mortel et que le compte à rebours est commencé, que cette interrogation prend la forme d'une véritable confrontation.

Mais cette confrontation n'est pas l'affaire d'un moment. Elle se traduit le plus souvent par une démarche qui comporte plusieurs étapes ou «phases», vécues plus ou moins consciemment selon le degré d'ouverture de l'individu.

Or, il se trouve que les étapes de la confrontation avec l'éventualité de sa propre mort sont, en fait, les mêmes que celles de la confrontation avec la mort elle-même.

Il faut donc s'attendre à rencontrer une résistance qui pourra se traduire, selon le niveau de conscience où on est parvenu, par le **refus** ou l'**isolement,** la **colère,** le **marchandage,** la **dépression** avant d'en arriver à l'**acceptation** ou la **transcendance.**

Telles sont les cinq «phases du mourir» identifiées par Élisabeth Kübler-Ross [1], mais qui ne se produisent pas obligatoirement dans cet ordre. Ce sont aussi, du reste, les étapes que chacun doit traverser, pas forcément non plus dans cet ordre, au moment de la plupart des épreuves de sa vie: la perte d'un être cher, un divorce, une dépression, une faillite... Encore une fois, le refus ou l'isolement, la colère, le marchandage, la dépression, l'acceptation ou la transcendance. De même que les étapes que nous traversons tous au moment des crises qu'entraîne l'évolution au cours du cycle de vie, en particulier celle de la transition du milieu de la vie. Car ce sont, en définitive, les étapes de toute expérience initiatique alors qu'il s'agit, chaque fois, de mourir pour renaître à un niveau de conscience plus élevé.

Toutefois, comme je l'ai dit plus haut, pour que la transition du milieu de la vie prenne un caractère initiatique, elle doit

[1] Élisabeth Kübler-Ross, *Sida, un ultime défi à la société* (éd. Stanké). Mais elle aborde la question des «phases du mourir» dans plusieurs autres de ses livres. Cette femme étonnante, psychiatre célèbre, a personnellement assisté des milliers de mourants.

éventuellement être vécue en pleine conscience. Mais il est rare que la démarche qu'elle entraîne soit consciente dès le début: elle se traduit d'abord, le plus souvent, par le refus et/ou la colère et/ou le marchandage et/ou la dépression... Pour qu'elle se traduise par l'acceptation ou la transcendance, cette démarche doit absolument devenir consciente, les deux dernières «phases du mourir» ne pouvant être vécues autrement qu'en pleine conscience.

Car, en dernière analyse, *l'enfant doit mourir,* c'est-à-dire, ici, que le système de défense découlant de la mentalité de l'enfance doit éclater, pour donner naissance à l'adulte. Or, aussi longtemps qu'on résiste à la croissance par le refus et/ou la colère et/ou le marchandage et/ou la dépression, le système de défense n'éclate pas. Seules, donc, l'acceptation ou la transcendance donnent naissance à l'adulte et permettent plus tard d'accéder à la maturité.

Voici maintenant le moment, pour le héros, de confronter la Sphinx.

DE LA CONFRONTATION AVEC LA MORT

«C'est quand j'ai eu mon premier enfant et quand j'ai compris que je pouvais mourir, que le déclic s'est fait et que je suis passé de l'autre côté... Disons que maintenant je me nomme moi-même... J'ai sur mon bureau un truc qui est la seule décoration personnelle que je possède au boulot. C'est la statuette d'un guerrier avec casque, lance, bouclier qui tient son fils, vêtu de même, devant lui. Quand je l'ai vue dans un magasin je me suis dit: «Mais oui, c'est ça!» Ce n'est pas à mon fils de m'aimer, mais c'est à moi de l'aimer. Mon métier est de laisser la place au désir. Pour moi, c'est la voie du guerrier: penser une chose et son contraire et semer les germes contagieux de l'autonomie. (...) Maintenant je peux mourir, ce qui me permet de savoir pourquoi je vis.»
Jean-Louis Gassée [1].

Posséder une identité de guerrier [2] passe nécessairement par la confrontation à l'idée de sa propre mort.

Cette confrontation représente dans l'évolution de l'individu un moment crucial: c'est l'acte héroïque. De cette confrontation lucide dépend la suite. Mais très souvent on cherche à l'éviter: on ne fait qu'entrevoir vaguement l'éventualité de sa propre mort pour aussitôt détourner le regard et investir encore davantage dans toutes les formes possibles d'activités extérieures afin d'échapper à l'angoisse. Pour s'étourdir, on investit davantage dans le travail ou dans une forme d'hyperactivité; ou encore dans diverses activités de loisirs auxquelles on s'adonne fiévreusement, entretenant ainsi une certaine inconscience, plus facile à vivre que la confrontation avec la mort. À moins qu'on ne trouve refuge dans les vertus hypnotiques des médias, en particulier de

[1] PDG d'Apple - France. IN *Les nouveaux guerriers* (éd. Autrement, numéro sous la direction de Bob Aubrey).
[2] Dans le contexte de cet exposé, le mot guerrier paraît mieux convenir.

la télévision, de façon à n'avoir désormais de la vie qu'une *expérience vicariale*, c'est-à-dire non plus directe mais à travers le spectacle qu'en offre une société de plus en plus médiatisée.

La recherche du sens de la vie comporte nécessairement, à l'étape de la transition du milieu de la vie, une réflexion lucide sur le sens de la mort. C'est la découverte du sens de la mort qui va permettre de découvrir dans la seconde phase, celle de la maturité, le sens de la vie qui se trouvera désormais dans la continuité et l'apport du guerrier à cette continuité. Car la maturité suppose d'accepter la révélation que le monde me survivra.

«La mort est le seul conseiller valable que nous ayons»

C'est au moment de la transition du milieu de la vie, à la charnière des deux grandes phases de la vie, alors qu'il se trouve au sommet de la montagne avec, derrière lui, le passé qui correspond à la phase ascendante et, devant, l'avenir qui correspond inévitablement à la phase descendante, que le guerrier rencontre pour la première fois sa mort en face.

Peut-être a-t-il frôlé la mort plus tôt dans sa vie, au moment du décès d'un proche, ou encore d'une expérience personnelle, comme par exemple d'un accident de voiture... Sans compter que dans la première phase de la vie, parfois dans l'enfance mais le plus souvent au moment de l'adolescence et de la crise d'identité qu'elle entraîne, la plupart ont déjà été confrontés à **l'énigme de la mort**... Mais cette fois, au moment de la transition du milieu de la vie, c'est à **l'éventualité de sa propre mort** qu'on se trouve confronté.

Cette confrontation, on ne doit pas chercher à l'éviter: elle est au cœur de la remise en question que provoque la transition du milieu de la vie. Sans compter qu'il en va ici comme de la confrontation avec certains mauvais rêves: plus on refuse de les regarder en face et de les assumer, plus ils s'imposent avec force. Tout se passe donc comme s'il s'agissait d'une épreuve, au sens héroïque du terme, qu'il faut traverser pour ne pas entrer à reculons dans la seconde phase de la vie. Le guerrier doit confronter l'éventualité de sa propre mort avec lucidité et courage – deux qualités du guerrier.

Car, désormais, le guerrier devra cheminer avec sa mort.

«La mort est notre éternel compagnon, dit Don Juan, le chaman amérindien, à son disciple l'anthropologue Carlos Castaneda. *Elle est toujours à notre gauche, à une longueur de bras... La mort est le seul conseiller valable que nous ayons. (...) Lorsque tu t'impatientes, tourne-toi simplement vers ta gauche et demande un conseil à ta mort. Tout ce qui n'est que mesquineries s'oublie à l'instant où la mort s'avance vers toi, ou quand tu l'aperçois d'un seul coup d'œil, ou seulement quand tu as l'impression que cette compagne t'observe sans cesse. (...) L'un de nous deux doit demander à la mort de le conseiller et laisser tomber les mesquineries courantes des hommes qui vivent leur vie comme si la mort n'allait jamais les toucher.»* [1]

À partir de ce moment, le contrat entre Don Juan et son disciple est clair: pour devenir un guerrier, un **homme de connaissance**, il devra désormais modifier l'organisation de sa vie et, avant tout, apprendre à tenir compte de cette compagne qu'est la mort.

C'est désormais la *présence de sa mort* qui va permettre au guerrier de renouveler le sens de son action.

[1] Carlos Castaneda, *Le voyage à Ixtlan* (éd. Gallimard/coll. Témoins).

UNE RÉFLEXION SUR DEUX THÈMES:

La confrontation avec l'éventualité de sa propre mort doit donc provoquer une réflexion. Cette réflexion, elle va déboucher ou non sur la conviction de la survie de la conscience individuelle après la mort du corps physique. Car ce qui importe à cette étape, c'est la confrontation même, le face à face avec la mort, et non pas la conviction qui peut éventuellement en résulter. Une confrontation lucide et courageuse aura nécessairement pour effet, à un moment ou à un autre, d'enclencher un mécanisme qui fera surgir la réponse.

Cette confrontation, pourtant, ne doit pas susciter la morosité mais plutôt déboucher sur le choix de vivre pleinement la vie en remportant une victoire renouvelée, jour après jour, sur toutes *les petites morts* que représentent les regrets, les inquiétudes et surtout les peurs...

Le guerrier doit donc considérer la confrontation avec la mort de deux points de vue:

- ***celui de la mort dans la vie...***

Cet aspect de la démarche se traduit par la découverte de la réalité de *la* mort. C'est toute la différence entre un certain intérêt pour cette question, tel qu'on peut l'éveiller dans la première phase de la vie, et la confrontation avec l'éventualité de *sa* propre mort. Or, le refus d'envisager cette éventualité entraîne nécessairement un arrêt de la croissance, alors qu'une confrontation lucide permet, au contraire, d'accéder à la maturité.

- ***... et celui de la vie dans la mort***

Cet aspect de la démarche que représente la confrontation avec la mort doit, par ailleurs, se traduire par une attitude positive face... à la vie. C'est le sens même de l'**initiation** alors que l'initié qui a atteint par suite de cette expérience un niveau de conscience plus élevé, adopte une attitude nouvelle qui se traduit par l'acceptation de la vie telle qu'elle est et par le courage de la vivre pleinement.

Je vous propose maintenant en guise d'exercice, au sens d'épreuve initiatique, de confronter la mort sous ces deux aspects: la mort dans la vie et la vie dans la mort.

LA MORT DANS LA VIE...

La confrontation avec l'éventualité de sa propre mort est d'autant plus difficile à notre époque que la mort a fait l'objet, depuis le début du siècle, d'une véritable occultation. Phénomène unique dans l'Histoire, la mort est devenue taboue. Pour autant qu'on sache, en effet, nous participons d'une civilisation qui serait la première à ignorer à peu près complètement la mort. Tout se passe aujourd'hui comme si la mort n'existait pas. Non seulement on cache la mort mais on étouffe le plus possible le discours sur la mort. Il n'y a pas de doute que cette occultation contribue grandement à faire de la crise du milieu de la vie une étape plus difficile à vivre à notre époque qu'elle ne l'a sans doute jamais été dans le passé.

La conscience individuelle survit-elle à la mort du corps physique?

Je crois utile de communiquer ici la réponse que j'ai trouvée pour moi-même à cette question et témoigner de l'attitude qu'elle devait m'inspirer.

Mais je précise qu'en communiquant ma propre conviction, je ne cherche pas à l'imposer aux autres. C'est chacun pour soi qu'il faut confronter la mort. Comme tous les grands moments de la vie, on doit les traverser seul. La démarche du guerrier est solitaire. Considérez donc mon témoignage comme l'occasion d'une interrogation – d'un exercice sur le thème de la mort.

Je crois que la mort n'existe pas.

Je veux dire que la conscience individuelle survit à la mort du corps physique.

Ce que nous appelons la mort serait donc une transition d'un plan à un autre.

Car rien ne meurt jamais. Tout se transforme.

C'est du moins ma conviction personnelle. Elle découle de la confrontation avec l'éventualité de ma propre mort, qu'a suscitée chez moi la crise du milieu de la vie.

Cette confrontation devait me pousser à consacrer plusieurs années à l'étude de cette question [1].

La Pensée traditionnelle enseigne que ce n'est pas le corps qui a une âme, mais l'âme qui, à un moment, prend un corps pour franchir une étape de son évolution. L'âme devient alors prisonnière du corps physique et de la nature humaine, alors qu'elle doit faire l'expérience d'une incarnation au plan matériel.

De ce point de vue, ce serait donc ici, au plan physique, que nous serions 'morts'; et au-delà, au plan psychique, que nous serions 'vivants'.

Ce qui fait dire que le sens de la vie se trouve dans le sens de la mort.

[1] J'ai écrit deux ouvrages: *Réincarnation et karma* (éd. Minos/de Mortagne) – qui sera bientôt réédité – et *La mort est une transition* (à paraître).

... ET LA VIE DANS LA MORT

Mais au-delà de la réflexion nécessaire pour enclencher le processus de conscientisation, ne vous occupez plus de la mort qui vient. Elle va s'occuper de vous... Occupez-vous plutôt de la mort qui vous habite et qui détermine vos attitudes, vos comportements, et employez-vous à la vaincre, jour après jour. Telle est la tâche du guerrier.

Ce qui importe, en effet, c'est de se libérer de la mort psychique et spirituelle qui nous habite au plan physique où nous sommes, ici et maintenant, et qui se manifeste par notre résistance à accepter ce qui est – à dire **«oui» à la vie.**

C'est l'exercice auquel je vous invite à vous livrer en répondant à la question suivante:
quelle est la chose la plus grave qui puisse vous arriver?

La réponse qui normalement surgit à l'esprit est: «La mort...».

Pourtant, si la chose la plus grave qui puisse vous arriver est de mourir, vous ne pouvez avoir de la vie qu'une vision tragique. Considérée sous cet aspect, la vie apparaît comme une tragédie: il est évident, en effet, que personne n'échappe à la mort. Il est même étonnant qu'on n'en soit pas davantage conscient...

Je n'ai pas dit: un *drame* mais une *tragédie*. Le drame se définit au plan humain: il s'élabore à partir d'attitudes humaines; alors que la tragédie échappe à toute intervention humaine: elle procède de la Fatalité. C'est ainsi que je peux décider de me rendre à la campagne pour le week-end mais, quelques minutes avant d'arriver à destination, mon véhicule entre en collision avec un camion-citerne... et s'en est fait de moi! Devant la Fatalité, il n'y a qu'à s'incliner.

La réponse à la question devrait donc être plutôt:
«De ne pas vivre pleinement la vie, ici et maintenant.»

Telle est la chose la plus grave qui puisse vous arriver. Car s'il est vrai qu'on est impuissant devant la mort en tant que manifestation de la Fatalité, en revanche chacun de nous peut intervenir au niveau de la mort qui l'habite et qui se manifeste en lui tous les jours de la vie, dans ses attitudes, ses comportements, ses pensées, ses créations mentales...

Les deux grands moteurs qui déterminent nos existences sont l'instinct de mort et l'instinct de vie. C'est au niveau même de cette opposition que nous pouvons et que nous devons intervenir, en réduisant le plus possible l'influence de l'instinct de mort et en augmentant celle de l'instinct de vie. Mais tous les jours nous laissons l'instinct de mort étendre son emprise sur nous par notre refus inconscient de la vie.

Car nous portons en nous une contradiction fondamentale, partagés que nous sommes entre l'instinct de vie et l'instinct de mort. Chacun de nous est à la fois James Bond et le Dr No qui, devant sa chute imminente et l'effondrement de son entreprise, souhaite entraîner le monde entier avec lui. Il nous faut prendre conscience de cette dualité fondamentale qui nous habite.

L'instinct de mort se traduit souvent par un goût inconscient du malheur et de la catastrophe. L'impression que tout pourrait s'effondrer nous venge, pour ainsi dire, de toutes les déceptions, les désillusions, les frustrations que nous endurons dans un monde qui tend de plus en plus à nous dépersonnaliser. Il est donc très important de devenir conscient que cet instinct de mort nous habite, pour ensuite **choisir la vie.**

La confrontation avec la mort, c'est donc aussi **la confrontation avec l'instinct de mort,** qui cherche à déterminer nos vies en entretenant nos résistances à **ce qui est**, à travers nos sentiments négatifs et en particulier notre peur de vivre. Car le refus de la vie s'exprime surtout par la peur...

Par la peur des événements: peur d'échouer mais aussi, curieusement, peur de réussir; par la peur des autres, qui se manifeste dans le domaine de l'action par la volonté de les contrôler, de les manipuler; par la peur qu'on s'inspire à soi-même, en particulier par la peur de notre aspect obscur, d'autant plus grande qu'on l'entretient par le refus de l'éclairer. Et surtout peut-être par la peur de la liberté, la sienne et celle des autres. Bref, par la peur de vivre.

Dire 'non' à la vie, c'est entretenir, par exemple, la peur confuse de 'mourir de faim'. Cette formule vous fait sourire? Pourtant, la peur de manquer du nécessaire est toujours bien vivante en chacun de nous, plus ou moins impérative selon qu'on est parvenu ou non à l'identifier et à composer avec elle en pleine conscience. Il n'y a qu'à observer jusqu'où nous poussons notre besoin de sécurité, que ce soit par le biais de nos régimes d'assurances et de nos plans de retraite, pour constater que la plus grande partie de nos énergies physiques et psychiques passent à apaiser en nous cette peur de manquer du nécessaire, autrement dit – pour prendre le langage de l'instinct – de 'mourir de faim'... Je ne dis pas qu'il faille renoncer à toute forme de prévoyance. Je suis en général opposé à toute démarche radicale car, en toutes choses, il faut trouver le juste milieu. Mais je dis qu'il faut **voir** nos véritable mobiles, afin de réduire le plus possible la peur qui les entretient.

La peur de la mort.
La peur de la vie.
La peur de l'amour inconditionnel.
La peur du plaisir.
La peur du bonheur.
La peur de la liberté.
La peur de pardonner.
La peur de déplaire, de ne pas être apprécié.
La peur de l'intimité véritable dans les relations.
La peur du ridicule.
La peur de ne pas être à la hauteur des attentes.
La peur du vide...

L'ennemi, il est en chacun de nous. C'est la mort qui nous habite et qui détermine, jour après jour, nos petitesses, nos mesquineries, nos inquiétudes... – notre médiocrité.

C'est l'**instinct de mort** en chacun de nous, qui s'exprime aussi dans notre complaisance à interroger anxieusement **l'avenir**: les inquiétudes, les doutes que nous entretenons; et à ressasser maladivement le **passé:** les regrets, les remords, les pertes mal assumées...

La peur de laisser tomber nos ressentiments, nos colères, nos haines.

De nous libérer de nos sentiments négatifs.

De nettoyer nos représentations négatives.

La peur de lâcher prise.
La peur de devenir transparent et de se re-connaître.
C'est la paranoïa sensitive qu'on entretient.
La peur d'aller au bout de ses entreprises et de soi-même, d'exploiter toutes ses possibilités.

Quel gaspillage que la mort au jour le jour!

La peur de s'engager.
La peur du changement. La peur de changer. La peur de croître.
La peur de servir.
Le peur des autres.
La peur, si on commence à donner, de ne rien recevoir en retour.

C'est la petite mort, jour après jour, que représente l'alcoolisme, la 'télévisionnite', le laisser-aller, le suicide à la petite journée.

Telle est la mort que le guerrier doit vaincre, celle qu'il porte en lui. Et non pas l'autre, celle qui s'impose de plus en plus à lui: elle est, au contraire, une compagne avec laquelle il doit apprendre à vivre, une compagne dont la présence lui permet de voir les événements de sa vie dans leur véritable perspective. Alors que la mort qu'il porte en lui, le guerrier doit la vaincre dans ses pensées, dans ses paroles, dans ses attitudes, dans ses actes – par sa détermination à **vivre pleinement.**

• • •

Choisir la vie, c'est vaincre la mort que représente une vie sans idéal, sans défi, sans grandeur... Choisir la vie, pour le guerrier, c'est dire **'oui' à la vie!**

Tel est le sens de l'initiation.

III – Le retour du héros: la maturité

> **«Quand tu prends de l'âge, que tu t'es occupé de toutes les choses matérielles de la vie, et que tu te tournes vers la vie intérieure, eh bien! si tu ne sais pas où ça se trouve et en quoi ça consiste, tu seras bien à plaindre...»**
> Joseph Campbell [1].

Témoignage

Je sais maintenant que la seconde phase de la vie aura été pour moi la plus intéressante, la plus signifiante des deux, je dirais même la plus heureuse. Du moins jusqu'ici... Et ce, malgré les échecs qui n'ont pas manqué, malgré les épreuves extérieures et intérieures, qui sont comme autant de stades nécessaires à la croissance. Car je comprends, désormais, le sens des épreuves – bien que je n'y arrive pas encore toujours sur le coup!

Au plan personnel, j'ai l'avantage de partager ma vie avec une compagne que je considère comme une alliée dans l'entreprise de vivre le quotidien et de grandir ensemble. Mais la vie est pleine de contradictions: la joie ne vient jamais sans la peine, le plaisir sans la souffrance. J'ai appris que le bonheur (ou le 'non-malheur', comme disent prudemment les bouddhistes) dépend surtout de mes représentations mentales. Je m'emploie donc à être heureux, jour après jour, avec une mentalité d'artisan. Car tout est toujours à recommencer. Il n'y a, pour ainsi dire, jamais rien d'acquis pour qui est conscient d'avancer sur 'le fil du rasoir'. Cette vision me paraît préférable à un optimisme qui pourrait valoir de mauvaises surprises. Je dirais aussi, paraphrasant la formule de l'empereur-philosophe Marc-Aurèle, que, dans les situations difficiles et les épreuves, je m'applique à changer ce que je peux changer; et à accepter ce que je ne peux pas changer... Je cherche à être autant que faire se peut, le cocréateur de ma vie. Mais, cela dit, je ne sais toujours pas où finit le destin, la Fatalité des Anciens, et où commence le libre-arbitre.

[1] *The Power of Myth* – with Bill Moyers, (éd. Doubleday).

Au plan professionnel, j'ai le sentiment d'être vraiment en possession de mes moyens. Il me semble que je n'ai jamais trouvé autant de satisfaction dans le travail. Mais je suis engagé dans l'action, peut-être même plus que jamais, d'une façon différente. Car, depuis la cinquantaine, une bonne partie de ma réflexion tend à remettre en question mes priorités en fonction du temps qu'il me reste à vivre. C'est un exercice ardu, qui offre cependant l'avantage de permettre de cerner l'essentiel un peu plus chaque jour. Mais avec de nombreux ratés... L'entreprise la plus difficile de ma vie d'homme d'action, à cette étape du cycle, aura sans doute été de m'appliquer, un peu plus chaque jour, du moins pour autant que je le puis, à passer de l'urgent à l'important, et de l'important à l'essentiel. Ce qui n'est pas aussi simple qu'on pourrait le penser, car je sais maintenant, pour le vivre tous les jours, qu'il est plus difficile de durer que d'arriver; et plus difficile de réussir sa vie que de réussir dans la vie.

Je me suis même lancé, à cette étape de ma vie, dans des entreprises un peu folles qui m'ont valu des échecs cinglants. J'ai même pris des risques que, plus jeune, j'aurais peut-être évités. Mais je l'ai fait pour que ma vie active soit le plus possible en accord avec mes convictions profondes. Il m'arrive cependant de penser que je m'y suis peut-être engagé... avec l'énergie du désespoir, comme pour extraire à tout prix un sens à la vie, avant qu'il ne soit trop tard... Car, pour tout dire, j'éprouve, depuis la crise du milieu de la vie, un sentiment d'urgence, qui va même s'accentuant avec le temps. Ce qui n'est peut-être pas le signe d'une grande sagesse! Mais il me semblait, et il me semble toujours du reste, que le monde a besoin qu'on s'engage, chacun dans la mesure de ses moyens, à le transformer – à la condition, toutefois, de commencer par se transformer soi-même... Il y a de l'utopie là-dedans, c'est certain! Mais ce n'est pas tant le but qui compte que le mouvement vers le but.

Je dois dire aussi que la seconde phase de la vie me convient mieux que la première; elle correspond mieux à ma véritable nature ou, comme on dit dans le monde du théâtre: j'ai enfin ***l'âge de mon emploi!*** *Je puis même ajouter que je suis particulièrement à l'aise dans le rôle de mentor qui, en principe, procède de la maturité. Ce rôle a favorisé chez moi une plus grande ouverture aux autres... Mais je n'en tire aucun mérite car je sais* *maintenant que ce sont les autres qui donnent un sens à ma vie. Sans les autres, je ne suis rien... Les autres représentent même, à mon sens, le moyen le plus sûr de m'atteindre et de travailler sur moi. À vrai dire, je ne vois pas comment on pourrait tirer de la seconde phase de la vie un véritable enrichissement sans la vivre davantage pour les autres; comme je ne vois pas non plus, par ailleurs, comment on pourrait y parvenir sans préciser un peu plus chaque jour sa démarche au plan psycho-spirituel.*

Enfin, je dirais qu'à ce moment de ma vie, une certaine expansion de la conscience, associée à l'émergence de la maturité, compense largement, du moins jusqu'ici, pour la baisse de dynamisme qu'entraîne le vieillissement. Il est vrai que je n'en suis encore qu'à la première étape de la seconde phase de ma vie, la plus active donc, celle qui s'étend de 40 à 60 ans et qui correspond au développement de la maturité; et qu'il me reste à vivre la seconde, à partir de la soixantaine, celle où le vieillissement s'impose davantage...

Mais ça, c'est une autre histoire!

RÉUSSIR SA VIE

La seconde phase du cycle de vie correspond au retour du héros qui, après avoir traversé l'épreuve que représente la confrontation avec l'éventualité de sa propre mort, dit ***«oui»* à la vie.**

Alors que dans la première phase du cycle de vie il s'agissait de parvenir à une certaine réussite du point de vue social, autrement dit de **réussir dans la vie,** il s'agit maintenant, dans la seconde, de se renouveler et de durer sur le plan de la réussite dans la vie, ce qui est souvent plus difficile que d'arriver, mais aussi de s'engager dans la voie de l'approfondissement, autrement dit de **réussir sa vie.**

Il paraît d'autant plus important d'insister sur la seconde phase de la vie, que nous sommes, en général, assez mal préparés à la vivre, les valeurs actuelles correspondant plutôt à celles de la première, comme je l'ai déjà souligné. Il est donc nécessaire, dans ces conditions, de compenser pour une vision extravertie (tournée vers l'extérieur), en insistant sur l'importance, au moment où on s'engage dans la seconde phase de la vie, d'investir dans une démarche plus introvertie (tournée vers l'intérieur). C'est, en principe, vers la cinquantaine que l'individu passe d'une orientation vers le monde extérieur à une orientation vers son monde intérieur. Au cours de l'évolution, en fait, on tourne petit à petit son attention de l'objet vers le sujet, c'est-à-dire du monde extérieur vers soi.

Je crois aussi nécessaire d'ajouter, afin de contribuer à une vision plus positive de la seconde phase, qu'en général, on estime que la cinquantaine est une époque plus sereine que la quarantaine.

L'OBJET DE LA SECONDE PHASE: *LA MATURITÉ*

On peut considérer la seconde phase de la vie de deux points de vue: celui de la maturité et celui du vieillissement.

Bien que maturité et vieillissement soient deux aspects indissociables d'un même phénomène, je retiens plus particulièrement, dans les pages qui suivent, celui de la maturité, me réservant d'aborder, ailleurs, celui du vieillissement.

Car l'objet de la seconde phase de la vie est la **maturité.**

Alors que la première phase de la vie avait pour objet de devenir adulte, c'est-à-dire un être autonome et responsable, celui de la seconde phase est la maturité: l'épanouissement de l'être, son actualisation non seulement par rapport au monde, mais aussi, et de plus en plus désormais, par rapport à soi. De même que les qualités de l'adulte n'étaient pas acquises au début de la première phase, qui devait précisément permettre de les identifier et de les développer, celles de la maturité ne le sont pas davantage au début de la seconde, qui doit permettre aussi de les identifier et de les développer. Comme l'écrit Gérard Artaud: «Notre erreur est de croire que l'homme fait, bien adapté à son milieu, est un être accompli, qui a achevé sa croissance, et de faire fi des nouvelles possibilités qui sont en lui. Notre erreur, c'est l'illusion de la maturité.» [1] La maturité n'apparaît donc pas d'un coup. Comme tout le reste dans la vie, elle procède d'une transformation lente et de la croissance. Elle va se préciser, petit à petit, entre quarante et soixante ans – et même au-delà.

Atteindre la maturité, c'est parvenir à **voir ce qui est**: la vie telle qu'elle est et non plus telle qu'on a cru qu'elle devrait ou pourrait être; mais aussi parvenir à **se voir** de plus en plus tel qu'on est soi-même et non plus tel qu'on a cru qu'on devrait ou pourrait être.

C'est à l'étape de la maturité qu'on peut vraiment devenir le **cocréateur** de soi et de sa vie, par suite d'un processus d'intégration et d'assimilation des expériences, en fonction du sens.

[1] *Se connaître soi-même* (éd. de l'Homme).

La force de l'âge...

Dans la seconde phase, la vie active est loin d'être finie puisqu'on se trouve maintenant dans ce qu'on appelle la **force de l'âge.**

Ces années sont même considérées comme les plus productives et les plus fécondes. On est alors en pleine possession de ses moyens. Comme le soleil est au plus fort entre midi et la fin du jour. Ou encore, si on évoque le cycle annuel, cette phase de la vie correspond à l'été, puis à l'automne. C'est à l'automne que les branches de l'arbre sont lourdes de leurs fruits.

Depuis la transition du milieu de la vie, on éprouve un sentiment d'urgence. Le début de la seconde phase, c'est le moment des grandes décisions. Il faut alors redéfinir ses priorités, faire de nouveaux choix et arrêter de nouvelles stratégies.

Mais une **transformation** commence à s'opérer d'elle-même. De nouveaux matériaux émergent de l'inconscient et des intérêts nouveaux apparaissent. La transformation est provoquée, en partie, par les pressions qu'exercent les conditions de la vie professionnelle et personnelle qui ne sont plus les mêmes; et, en partie, par la maturation elle-même, physiologique et psychologique. Car le rôle social évolue avec le temps, mais aussi la définition même de l'être.

La seconde phase de la vie offre l'occasion de **se reprendre.** Certains sont même plus à l'aise dans cette phase qu'ils ne l'étaient dans la première. Ils ont l'impression, comme je l'ai moi-même, d'avoir enfin atteint *l'âge de leur emploi,* de leur tempérament. On assiste aussi parfois, au début de cette phase, à un changement au niveau du caractère, qui se traduit par un dynamisme nouveau. Comme le signale George E. Vaillant dans son étude [1], on trouve plusieurs exemples d'individus, jusque-là plutôt mornes, qui se sont révélés différents vers le milieu de la quarantaine: «Avec le temps, on acquiert un système nerveux central plus expérimenté et plus évolué. On sait maintenant que le cerveau se modifie en structure et en complexité jusqu'à un âge très avancé».

[1] *Adaptation to Life* (éd. Little Brown) Ibid.

C'est l'âge des **grands patrons,** des chefs. Mais, pour certains, c'est au contraire, l'âge du plafonnement. Tel est sans doute un des écueils dans le monde de l'entreprise, à notre époque, alors que vers 45 ou 50 ans, on peut se trouver immobilisé, avec un sentiment d'obsolescence, en attendant la retraite.

L'étape de la force de l'âge est aussi celle du **déclin.** Au cours de ces années, on ressent, en fait, une opposition entre la plénitude de l'âge, la maturité et, d'autre part, le déclin, le vieillissement. Car le temps qui reste à vivre, à partir du milieu de la vie, représente à la fois la plénitude, surtout ressentie au début de la phase, et les écueils du déclin, surtout ressentis vers la fin de la phase, dans une proportion qui dépend en partie des circonstances, des événements et des conditions extérieures, mais aussi, et surtout, des attitudes déterminées par le niveau de conscience de l'être.

Comme c'était le cas pour la première phase, il est sans doute simpliste de regrouper les informations et les réflexions qu'inspire la seconde, alors qu'elles comportent toutes deux, en fait, plusieurs étapes et que la transformation se poursuit au fur et à mesure du cheminement, parfois abruptement, mais le plus souvent insensiblement. Au cours de cette phase, l'accent doit donc se déplacer, petit à petit, de manière à porter sur la créativité plutôt que sur la productivité, sur la qualité plutôt que sur la quantité.

La redéfinition qui s'est amorcée au moment de la transition du milieu de la vie va se préciser de plus en plus au fur et à mesure qu'on avance en âge, pour prendre forme vers la cinquantaine, alors qu'elle va se traduire, en principe, par moins d'attachement pour les choses et une intériorité croissante. C'est aussi le moment où l'on doit commencer à prendre une certaine distance par rapport à l'action. Après avoir cherché dans la première phase de la vie, à se re-lier au monde, il s'agit maintenant de se re-lier à soi.

Selon le modèle que propose le psychologue Robert Havïghurst [1], l'individu parvenu à la seconde phase de sa vie, c'est-à-dire au sommet de sa productivité et de son influence sur la société, doit désormais:

• devenir un citoyen adulte et socialement responsable;

• établir et maintenir un certain niveau de vie;

• aider ses enfants devenus adolescents à devenir des adultes responsables;

• développer des activités de loisir adultes;

• entrer en relation avec son conjoint comme personne;

• accepter les changements physiologiques qui s'opèrent en lui, en particulier depuis le milieu de la vie.

[1] *Developmental Tasks and Education* (éd. Makay), cité et commenté par Renée Houde dans son essai *Les temps de la vie, le développement psychosocial de l'adulte selon la perspective du cycle de vie* (éd. Gaëtan Morin).

Au plan personnel

Avec la seconde phase de la vie, la rencontre avec l'autre entre dans un nouveau stade: la relation affective devient moins érotisée mais plus amicale, tendance qui se précise vers le milieu de la cinquantaine. Comme toutes les transformations au cours de la vie, cette tendance apparaît comme une perte ou un gain, selon qu'on la considère avec les yeux de la vingtaine ou ceux de la soixantaine. Ce qu'on perd en chaleur, on peut le gagner en lumière...

C'est la crise d'identité du milieu de la vie qui, en principe, a amorcé cette ouverture authentique à l'autre: la capacité d'accepter la différence chez l'autre, éveillant ainsi l'aptitude à éprouver les besoins et les préoccupations de l'autre comme aussi importants que les siens. Une véritable intimité est maintenant possible et le deviendra de plus en plus, non seulement dans la relation de couple mais aussi dans les relations d'amitié.

Vers le milieu de la cinquantaine, le couple traverse souvent une période difficile, au moment où s'impose à nouveau la confrontation, plus ou moins consciente, avec la mort et que les non-dits pèsent lourds. Cette confrontation n'est pas vécue de la même façon, encore une fois, par l'homme et par la femme: alors que chez l'homme reparaît la peur de mourir, chez la femme cette confrontation se traduit généralement par la peur... de devenir veuve.

Chez les célibataires, lorsqu'une relation affective est entretenue, elle prend généralement la même qualité que chez les couples, devenant moins érotisée et plus amicale.

Le sentiment d'isolement, qui est apparu vers le milieu de la vie, risque de s'accentuer autour de la cinquantaine. Pour contrer cette tendance, les célibataires doivent investir davantage d'eux-mêmes dans leurs relations, afin de ne pas tomber dans le piège de l'égocentrisme, qui représente, à vrai dire, un écueil pour tout le monde, mais plus spécialement pour eux. Au-delà de cet investissement, la solution paraît se trouver dans une démarche de croissance qui transforme l'isolement, malgré tout irréductible lorsqu'on prend de l'âge, en une découverte de la véritable solitude, et de passer ainsi à l'écoute de soi – et du Soi.

(Je reviens plus loin sur la distinction entre l'isolement et la solitude).

Les autres et *la suite du monde*

> **«Le héros est celui ou celle qui donne sa vie pour quelque chose de plus grand que lui.»**
> Joseph Campbell [1].

Le héros ne revient pas pour lui-même mais pour les autres. Il revient pour témoigner et vivre pour les autres. Il sait désormais que l'on vit les uns pour les autres. Il s'occupe donc de la société, de l'organisation de la chose publique – de la *res publica* – et de **la suite du monde**: des générations futures et du monde dans lequel elles vivront. Le héros revient donc, en fait, pour se placer dans des situations qui vont favoriser l'éveil des aspects supérieurs de sa nature, afin de poursuivre sa croissance.

La découverte des autres, elle se fait progressivement, au fur et à mesure qu'on parvient à laisser tomber son système de défense, alimenté par la peur, pour devenir une véritable ouverture.

Cette ouverture aux autres a pu s'amorcer au cours de la première phase de la vie, et se traduire par l'acceptation de ce qui est différent, de ceux qui pensent, qui vivent autrement; mais il semble que ce soit au cours de la seconde phase, surtout, que cette ouverture peut déboucher sur le sentiment de la profonde identité de tous les êtres, voire de toutes les formes de vie, qui participent, en fait, de la même conscience, et se traduire de plus en plus, par un véritable engagement en fonction de la suite du monde – **qui me survivra.**

L'autre jour, devant un arbre magnifique, dont les branches étaient lourdes de fruits, je faisais remarquer à un ami que si j'en plantais un semblable chez moi... je ne le verrais pas grandir. À quoi il me répondit judicieusement: «Ceux qui ont planté celui-ci ne l'ont sans doute pas vu grandir non plus. Ils l'ont fait pour nous.»

Tel est le modèle d'exigence que suggère le héros du monomythe de Campbell.

---

1 *The Power of Myth* – with Bill Moyers, (éd. Doubleday).

DE QUELQUES OBSTACLES À SURMONTER

La seconde phase de la vie comporte certains écueils, au plan professionnel comme au plan personnel. Ceux qui n'auront pas su les éviter seront immobilisés dans leur cheminement.

L'immobilisation peut se traduire par l'alcoolisme, mais aussi, de plus en plus de nos jours, par *l'activite,* qui est la drogue du **faire** et *la télévisionnite* qui est celle du **laisser faire,** qui répondent au besoin de s'étourdir ou de s'engourdir, afin de n'avoir pas à se regarder en face.

Parmi ces écueils, il s'en trouve deux, difficiles à contourner, qui commandent une vigilance particulière.

L'obsolescence...

Le sentiment d'obsolescence qu'on éprouve déjà, assez souvent, au moment de la transition du milieu de la vie, tend à se préciser dans la seconde phase de la vie, alors que l'impression d'être dépassé par les événements, et surtout par les jeunes, s'impose avec plus de force. Ce sentiment ébranle l'estime de soi et peut avoir à la longue un effet destructeur. Il faut donc le reconnaître en soi et prendre les mesures nécessaires.

Le phénomène de l'obsolescence prend de nos jours, dans le monde de l'action, des proportions d'autant plus grandes que le processus d'accélération dans lequel on se trouve entraîné peut facilement donner l'impression, qui n'est d'ailleurs pas toujours sans fondement, qu'on est dépassé par les technologies nouvelles et surtout, encore une fois, par les plus jeunes dont on découvre, au fur et à mesure qu'on avance en âge, qu'ils ont des dents et des griffes...

Nous assistons aujourd'hui à un véritable déferlement d'innovations au plan technologique, ce qui a pour effet de démoder non seulement les produits mais aussi les outils de production et les procédés, de même que, sur le plan du savoir, la formation de base. Et comme l'écrit Silvère Seurat [1]: «Le défi de l'obsolescence se traduit par l'abondance sur le marché du travail de jeunes candidats dont la formation répond mieux aux exigences des nouveaux outils et des nouveaux procédés, ce qui pousse l'entreprise à faire appel à eux, d'autant plus qu'ils ne commandent pas de salaires aussi importants que les employés et les cadres plus âgés qui, bien souvent, semblent prisonniers de leurs schèmes de fonctionnement et de leurs habitudes, et ne parviennent pas à se renouveler.

Il importe donc, si on se trouve dans cette situation, d'adopter une stratégie personnelle. Cette stratégie, elle consiste à s'adapter non par la soumission mais par l'action: c'est-à-dire à acquérir de nouveaux savoirs, de nouvelles habiletés, etc; et, par ailleurs, à devenir un généraliste, ce qui est l'un des objets de la seconde phase de la vie. Car il ne suffit pas d'investir du temps et de l'énergie dans son recyclage en tant que spécialiste; il faut aussi poursuivre parallèlement, et de plus en plus avec l'âge, une démarche de généraliste: élargir sa vision, favoriser l'envergure en ajoutant à son savoir une certaine connaissance du monde et de la nature humaine – à commencer par la connaissance de soi. C'est alors qu'étant davantage au contrôle de sa vie, on peut échapper à la menace de l'obsolescence.

Il faut aussi rappeler ici, car on a tendance aujourd'hui à l'oublier, que les qualités de la maturité sont capitales, aussi bien pour l'entreprise que pour la société en général.

... et l'isolement

Avec l'âge, au fur et à mesure qu'on passe de l'être collectif à l'être individuel, on devient de plus en plus le principal agent de sa transformation. Ce qui peut se traduire par un sentiment d'isolement.

[1] *La coévolution créatrice/une nouvelle alliance de l'homme et de l'entreprise* (éd. Rivages/Les échos).

L'évolution de l'individu correspond, en fait, aux exigences de l'adaptation, qui ne sont pas les mêmes dans les deux grandes phases de la vie. Dans la première, comme on le sait, on doit mettre l'accent sur l'adaptation au monde extérieur: ce sont donc les autres, les circonstances, les événements et les conditions extérieures qui déterminent en grande partie l'évolution. On se sent alors relié au monde. Alors que dans la seconde, qui suppose **la découverte et l'approfondissement de son monde intérieur,** on doit parvenir, au contraire, à une forme d'autodétermination, en devenant le cocréateur de sa vie et de soi. On tend alors à se relier à soi.

Cette évolution vers une plus grande autonomie, pour positive qu'elle soit, n'en comporte pas moins un aspect négatif qui se traduit par le sentiment d'être de plus en plus séparé des autres, donc isolé. Il importe alors de dépasser ce sentiment d'isolement par une compréhension et une acceptation de la solitude. La distinction entre les deux est capitale: alors que l'isolement se définit par rapport au monde extérieur, la solitude, elle, se définit par rapport à son monde intérieur. Pour qui chemine avec lucidité, cette distinction prend de plus en plus de sens, au fur et à mesure qu'il avance dans la seconde phase de la vie.

Il faut aller, consciemment, au-delà de l'isolement en assumant sa solitude. Car la solitude est inhérente à la condition humaine. Accepter la solitude est une des épreuves qui permet au héros, au fur et à mesure qu'il avance dans la seconde phase de la vie, de parvenir à la maturité. Accepter sa solitude mais aussi en comprendre le sens. La solitude devient alors un état privilégié dans lequel on peut faire le silence et passer à l'écoute de soi.

Les mécanismes adaptatifs de la maturité

La vie suppose une **adaptation** constante. Les mécanismes adaptatifs assurent la survie, aussi bien au plan psychique que physique. Or, les mécanismes d'adaptation, qui sont aussi des mécanismes de défense, évoluent au cours de la vie dans le sens d'une plus grande maturité.

George E. Vaillant [1] identifie cinq mécanismes moteurs qui seraient le propre de la maturité:

- **La suppression**: pouvoir ne pas porter attention volontairement à une pulsion ou à un conflit conscient, par exemple en le reportant au lendemain au lieu de passer la nuit à jongler;

- **l'anticipation**: être capable d'une planification et d'une orga-nisation réalistes du présent en fonction du futur;

- **l'altruisme**: donner aux autres ce qu'on aimerait recevoir soi-même, ce qui revient à reconnaître la nécessité de l'interaction et du partage;

- **l'humour**: exprimer ses idées et ses sentiments sans blesser les autres;

- enfin, **la canalisation:** pouvoir canaliser les pulsions autrement sans qu'il y ait une perte importante de plaisir — par exemple, au lieu de faire une colère, on va marcher...

• • •

A ces mécanismes adaptatifs, je veux en ajouter un, qui me paraît être aussi le propre de la maturité:

- l'aptitude à **tolérer l'ambiguïté...** et même **la contradiction**.

[1] *Adaptation to Life* (éd. Little Brown), Ibid.

De l'ambiguïté...

La tolérance à l'ambiguïté est considérée comme une des qualités essentielles du créateur. Ce qui est d'autant plus important dans le présent contexte que, depuis la transition du milieu de la vie, on est entré, en principe, dans l'âge de la créativité. La tolérance à l'ambiguïté, elle se trouve dans la capacité de gérer le chaos, de pouvoir fonctionner en l'absence de valeurs stables, alors que les repères sont flous. C'est dire que nous avons le plus grand besoin, à notre époque, d'individus qui possèdent cette qualité, associée à la seconde phase de la vie.

À l'époque où la NASA recrutait ses premiers astronautes, étant donné les exigences très exceptionnelles de cette fonction, les candidats furent soumis à une batterie de tests particulièrement ardus, allant de l'évaluation de l'intelligence à celle du caractère, en passant par le savoir et l'expérience en matière d'ingénierie. Bien qu'une sélection aussi sévère ait entraîné une élimination draconienne, le nombre des candidats se trouva encore trop élevé. Il fallut donc trouver un dernier critère d'évaluation qui permît de sélectionner les candidats les plus fiables. On conçut alors un test qui allait permettre d'évaluer la **tolérance à l'ambiguïté** des candidats astronautes, autrement dit leur aptitude à maîtriser une situation alors qu'elle est indéterminée, qu'elle appelle des jugements contradictoires, et qu'on se trouve devant l'inconnu, l'imprévisible.

Telle est sans doute aujourd'hui dans le monde de l'action, à une époque de grande ambiguïté, la qualité ultime de l'homme et de la femme d'action. Non seulement doit-on pouvoir tolérer l'ambiguïté, mais agir avec une certaine aisance dans les situations ambiguës.

«... l'homme est capable de s'adapter à n'importe quoi, tant sur le plan psychique que physique ou social. Peut-on concevoir une 'adaptation à l'adaptation'? Il semble bien que l'on touche là aux limites de l'organisme qui conserve, on l'a déjà décrit, la 'cicatrice' de tous les stress passés. Il vaudrait donc mieux parler 'd'habituation au stress'. Celle-ci consiste à ne plus considérer comme stressants des facteurs qui, naguère, nous faisaient bondir. *La maturité venant avec l'âge, l'adulte a appris à élever le seuil au-delà duquel les petits faits de la vie quotidienne deviennent des agressions.* [1]

«Il devient moins vulnérable, gardant son 'self-control' beaucoup plus longtemps. La 'NASA' préfère envoyer dans l'espace des pères de famille de 50 ans plutôt que de bouillants ingénieurs frais émoulus de leurs écoles. C'est encore cette prise de conscience des vraies valeurs qui explique qu'un homme de 40 ans fasse beaucoup moins facilement le 'coup de poing' dans la rue que le même homme vingt ans plus tôt.

«Dans une expédition, il faut être très circonspect dans le choix des partenaires trop jeunes, même s'ils sont très brillants et très résistants, même si l'amitié doit en souffrir quelque peu. Les sujets jeunes mal structurés psychologiquement ont la fragilité d'un édifice neuf sur un sol mal stabilisé, la fragilité du cristal.

«Dans certaines circonstances, des sujets peuvent se voir investis de responsabilités qui les dépassent et en être

[1] Souligné par moi.
[2] Xavier Maniguet, *Survivre – Comment vaincre en milieu hostile* (éd. Albin Michel).

considérablement stressés.» [2]

... à la médiété
ou: le troisième terme de l'énigme de la Sphinx

Alors que la première phase de la vie se définissait en fonction de la dualité: oui ou non, blanc ou noir, vrai ou faux; la seconde se définit en fonction de la médiété: le 'oui **et** non' de Pythagore.

Vers le milieu de la seconde phase, autour de la cinquantaine, le héros passe, en principe, d'une vision simple à une vision complexe du monde, des êtres et des événements. Désormais, la vérité ne sera jamais plus d'un côté ou de l'autre, mais quelque part au milieu.

La médiété, telle qu'elle est exprimée dans la symbolique, c'est, par exemple, le point supérieur du triangle, symbole de transcendance.

La seconde phase de la vie est celle des synthèses.

Un: thèse

Deux: antithèse (conflit, opposition...)

Trois: synthèse (résolution...)

Ni oui ni non. Ni blanc ni noir. Mais oui **et** non.

La médiété, c'est la capacité de considérer les choses à distance, d'avoir sur les événements et les situations une vue d'ensemble – dans une certaine perspective.

C'est dans la seconde phase de la vie que l'on trouve les grands patrons, les vrais chefs qui sont, par définition, des agents de médiation, de conciliation.

La médiété, c'est la Voie du Milieu, celle de la maturité.

L'ÂGE D'UNE DÉMARCHE EN PROFONDEUR...

Dans la Kabbale, qui est la branche juive de la Pensée traditionnelle, on enseigne que pour entreprendre une démarche authentique, *il faut avoir passé quarante ans, avoir élevé ses enfants et avoir payé sa maison.* Il ne s'agit pas de prendre cette formule à la lettre mais d'en comprendre l'esprit. Il n'y a aucun doute, quels qu'aient été l'ouverture d'esprit et le sérieux de l'interrogation dans la première phase de la vie, que l'âge est déterminant pour entreprendre une démarche authentique au plan psycho-spirituel, vers la pleine réalisation de l'être. Il paraît nécessaire, en effet, d'avoir parcouru une bonne partie du chemin: de s'être occupé des siens, d'avoir bâti maison et d'être parvenu à une certaine stabilité, pour ensuite investir dans l'étude, la réflexion et le travail sur soi. Et ce, pour la simple raison que l'étude, la réflexion et même le travail sur soi ne suffisent pas pour éclairer le sens de la vie; il faut aussi avoir vécu une certain nombre d'années, et être parvenu à intégrer son vécu.

La seconde phase de la vie représente donc, le héros parvenant petit à petit à la maturité, l'étape la plus importante de son cheminement vers la réalisation au plan psycho-spirituel.

On retrouve cette notion dans toutes les grandes traditions.

... ET LE VIEILLISSEMENT

Témoignage

Il me reste à parler de la dimension que représente, dans cette phase de la vie, le vieillissement – que je n'ai jusqu'ici qu'effleurer, avec l'intention d'y revenir. De toute évidence, la vieillesse est un sujet tabou, qui exige pour être abordé une certaine réflexion, mais aussi, je dirais, une certaine habileté – si l'on veut survivre à ses écrits!

Un sujet tabou, en effet, au point que la plupart des jeunes imaginent cet âge, renforcés en cela par les médias, comme étant une nouvelle jeunesse, ou plus exactement comme le paradis de l'adolescence, dont ils ont une profonde nostalgie, enfin retrouvé! Un âge idyllique où on aurait les moyens, financiers et autres, de vivre sans reproche l'irresponsabilité... C'est en effet un programme alléchant!

Au moment où je termine le présent exposé, j'approche de la soixantaine... Il me semble que, jusqu'à l'âge d'environ 55 ans, j'ai peu ressenti les effets du vieillissement, bien que j'éprouve, depuis la transition du milieu de la vie, une baisse de l'énergie physique, que je suis parvenu à compenser, relativement, par une certaine vigilance qui se traduit par une meilleure alimentation, l'exercice régulier, la méditation... – bref, par la pratique d'un

[1] Je me propose d'aborder la question du vieillissement et de la longévité dans un prochain numéro de cette collection.

art de vivre; alors qu'au plan psychique, mon énergie me paraît aussi grande, peut-être même plus grande encore – bien qu'il m'arrive parfois d'éprouver un sentiment de ***vulnérabilité...***

Mais ça, c'est une autre histoire! [1]

LE RETOUR DE LA SPHINX!

L'image qu'on se fait du déclin, au cours de la seconde phase de la vie, cache le sens profond de la maturité et de la vieillesse, que la symbolique permet de révéler.

Avoir «deux pieds à midi», c'était encore se définir au plan de la dualité et de l'opposition, de la contradiction – du binaire; alors que «trois le soir» évoque le ternaire, comme le point supérieur du triangle, et suppose qu'on se définisse au plan de la médiété, du dépassement, de la transcendance... Car, chez le héros qui a su résoudre l'énigme de la Sphinx, avec le déclin se poursuit l'expansion de la conscience.

Dans le prochain numéro

LA VIE
DONT VOUS ÊTES
LE HÉROS

(SECONDE ÉTAPE)

Des informations et des réflexions regroupées en fonction de la même structure.

I – Le cycle de vie
- le cycle selon le TAO
- le cycle en astrologie
- la vie de couple et le cycle de vie
- la femme et le temps de sa vie

II – Le départ du héros
- la post-adolescence

III – L'initiation
- les crises de la vie du point de vue métaphysique
- *«To be or not to be...»*
- Dante et la crise du milieu de la vie

IV – Le retour du héros
- prendre une certaine distance
- être **dans** le monde sans être **du** monde
- *cooling out* – la seconde carrière
- l'évolution du sens de la vie
- le vieillissement et l'expansion de la conscience

... ET PLUS!

LA RÉINCARNATION EXPLORÉE PAR UN SCIENTIFIQUE

Il y a quelques années, c'était en 1984, Placide Gaboury et moi faisions paraître *Réincarnation et karma* [1], ouvrage aujourd'hui épuisé qui fait actuellement l'objet d'une révision et d'une mise à jour en vue d'une nouvelle édition.

Depuis l'édition originale, c'est-à-dire en moins de cinq ans, la théorie réincarnationniste a beaucoup progressé en Occident. C'est ainsi que plus de 30 p. cent des chrétiens canadiens croiraient en la réincarnation [2]. Mais cette situation n'est pas l'exception. J'ai découvert aussi depuis que, selon un sondage Gallup, la croyance en la réincarnation était passée en Grande-Bretagne de 18 à 28 p. cent entre 1969 et 1979, et qu'un tiers des femmes adultes seraient réincarnationnistes. Aux États-Unis, les chiffres sont aussi révélateurs: une personne sur quatre croirait en la réincarnation, proportion qui s'élèverait à 30 p. cent chez les personnes de moins de 25 ans. Ce qui, à notre époque scientifique, représente un surprenant glissement de croyances.

[1] Cet ouvrage paru aux éditions Minos paraîtra dans quelque temps aux éditions de Mortagne.
[2] IN *Guide Ressources,* jan./fév. 89, vol. 4, no 3.

On peut sans doute expliquer l'intérêt croissant que soulève cette théorie par la recherche en général d'un nouveau paradigme spirituel, à une époque où se désarticule le mythe religieux qui a dominé en Occident pendant près de 2000 ans. La théorie réincarnationniste semble donc profiter de l'émergence d'une nouvelle spiritualité qui vient combler le vide laissé par l'éclatement des structures traditionnelles. Elle profite aussi des recherches sur l'après-vie, qui se poursuivent présentement, que ce soit à la faveur du phénomène de *channeling* et, en général, de la communication avec une *autre réalité;* ou encore des expériences *hors-corps* – ou *projection astrale* – et en particulier des NDE [1]. Ces recherches, qui s'appuient sur de nombreux témoignages, appellent une vision nouvelle de l'après-vie, que prolonge pour certains la théorie de la réincarnation.

Par ailleurs, la réincarnation est de plus en plus acceptée par la psychologie. Plusieurs psychothérapeutes s'intéressent désormais aux vies antérieures et aux techniques de régression qui permettraient de les explorer, afin d'éclairer la présente incarnation.

Mais la réincarnation fait elle-même l'objet de recherches depuis plusieurs années déjà, de la part de chercheurs qui considèrent cette théorie comme une hypothèse sérieuse.

Parmi ces chercheurs, le Dr Ian Stevenson occupe certainement la première place.

Dans les pages qui suivent, je vous propose une mise à jour du court exposé que nous consacrons, Placide Gaboury et moi, au Dr Stevenson et à ses recherches dans la nouvelle édition de notre livre.

[1] *Near death experiences,* formule que l'on peut traduire en français par «expérience de mort rapprochée» ou «expérience d'approche de la mort» ou «expérience aux frontières de la mort» ou encore «expérience au seuil de la mort».

«Oui, la réincarnation est une réalité».
Dr Ian Stevenson

Montréalais d'origine, le Dr Ian Stevenson a terminé ses études de psychiatrie à l'Université Mc Gill pour ensuite s'établir aux Etats-Unis où il vit depuis plusieurs années. Il est aujourd'hui professeur de psychiatrie à l'Université Carlson et directeur du Département des études sur la personnalité à la faculté de psychiatrie de l'Université de la Virginie où il poursuit avec la plus grande rigueur des recherches sur la réincarnation.

Son premier essai, paru en 1960 et intitulé *The Evidence for Survival from Claimed Memories of Former Incarnations* [1], devait attirer l'attention de Chester Carlson, inventeur du procédé de xérographie, qui créa un fonds pour financer ses recherches.

Le Dr Stevenson a depuis poursuivi activement ses recherches et fait plusieurs communications sur la réincarnation lors de congrès scientifiques. Il a aussi écrit de nombreux articles dans des publications scientifiques, non seulement sur la réincarnation mais aussi sur plusieurs questions connexes. C'est ainsi qu'il devait à un moment s'intéresser au phénomène de la *xénoglossie* qui consiste à parler une langue qu'on a jamais apprise. «Ce phénomène, précise-t-il, est rare. Mais il se produit et j'ai pu l'observer.» [2]. Il a décrit dans un de ses essais le cas d'une femme qui sous hypnose parvenait à parler l'allemand, langue qu'elle n'avait pas pu apprendre dans son incarnation présente, sans compter qu'il s'agissait de l'allemand tel qu'on le parlait vers la fin du XIXe siècle... Le Dr Stevenson a consacré un ouvrage à cette question: *Unlearned language: New Studies in Xenoglossy.*

[1] Tous les ouvrages du Dr Ian Stevenson ont paru ou paraîtront aux éditions Virginia University Press.
[2] IN *Omni* (Jan. 88). Cet article fait le point sur les recherches du Dr Stevenson, à l'intention du grand public. Ce qui est tout à fait exceptionnel car le Dr Stevenson s'est toujours tenu loin des médias en général et en particulier de la presse à sensation, qui lui ont valu de mauvaises expériences. Par ailleurs, cet article offre l'intérêt d'anticiper sur les conclusions de ses ouvrages qui doivent paraître dans les prochaines années. Je crois donc d'autant plus nécessaire d'en reprendre ici certains passages. Sauf indication contraire, toutes les citations dans le présent exposé sont extraites de cet article et traduites par moi.

Mais sa plus importante contribution aura été jusqu'ici un ouvrage qui marque un tournant dans l'étude de la réincarnation: *Twenty Cases Suggestive of Reincarnation.* Il s'agit sans contredit de l'ouvrage le plus documenté et le plus rigoureux qu'on puisse trouver sur cette question. Pour cet ouvrage, le Dr Stevenson a retenu, comme le titre l'indique, 20 cas – parmi les 2500 qu'il a étudiés. Il s'agit pour la plupart de jeunes enfants qui ont conservé des souvenirs précis et vérifiables d'une vie antérieure.

Comme la plupart des chercheurs sérieux, le Dr Stevenson ne s'intéresse pas aux sujets qui disent avoir été un personnage célèbre dans une vie antérieure... Je crois intéressant de préciser, à propos des expériences de régression sous hypnose, que le Dr Stevenson est formel: «La plupart des personnalités qui émergent sous hypnose sont entièrement imaginaires et résultent du désir qu'éprouve le sujet d'obéir aux suggestions de l'hypnotiseur (...); la plus grande partie de ce qui se produit sous hypnose est purement fantaisiste.»

Dans son introduction, le Dr Stevenson précise qu'il s'adresse avant tout à des lecteurs de formation scientifique. Pourtant, et malgré l'austérité de la démarche, la plupart des lecteurs de cet ouvrage sont des non-scientifiques. Devenu un best-seller, ce livre a même depuis été traduit en sept langues.

Ce qui pourtant ne satisfait qu'à moitié le Dr Stevenson qui espérait qu'à la suite de la parution de cet ouvrage, le monde scientifique allait s'intéresser davantage à cette question, qui lui paraît importante du point de vue psychologique et médical. Il y a plus de dix ans, il a écrit un article intitulé: *The Explanatory Value of the Idea of Reincarnation,* dans lequel il suggère que l'étude de certains cas pourrait éclairer sous un jour nouveau certains problèmes rencontrés en psychologie et même en médecine. «Je suis devenu insatisfait de certaines méthodes qui ont été développées en psychiatrie, déclare le Dr Stevenson. Selon la théorie scientifique la plus généralement acceptée, on conçoit la personnalité comme le produit du matériel génétique hérité des parents, et de l'environnement prénatal et post-natal. Mais j'ai découvert que certains cas ne peuvent être expliqués ni par la génétique, ni par l'influence de l'environnement, ni même par une combinaison de ces deux facteurs. Je pense ici, par exemple, à certaines phobies de l'enfance, à certaines habitudes qui se développent spontanément, aux enfants qui sont convaincus ne n'être pas du sexe auquel ils devraient appartenir, à certaines difformités congénitales, à la différence qui existe entre les jumeaux qui sont d'un même ovule, et même à des questions aussi irrationnelles que certaines préférences alimentaires...»

Le Dr Stevenson a depuis écrit un autre ouvrage: *Children Who Remember Previous Lives.* Et plusieurs autres doivent paraître dans les prochaines années, dont *Cases of the Reincarnation Type* en quatre volumes dans lesquels il traitera en particulier de la question troublante des marques de naissance attribuables à un incident d'une incarnation passée... Le Dr Stevenson a toujours fait de ces marques de naissance un critère pour les cas retenus. Il s'intéresse donc tout particulièrement aux signes physiques, tels que marques et défauts de naissance qui reproduisent les **cicatrices** de blessures faites, ou d'interventions chirurgicales subies, au cours de la précédente incarnation et authentifiées par plusieurs témoins des deux incarnations. Le Dr Stevenson estime que le nombre de cas documentés est assez considérable pour rendre toute autre interprétation difficile à défendre. «J'ai maintenant recueilli à peu près vingt cas de ce genre, dont quinze particulièrement intéressants parce que j'ai pu comparer mes propres observations avec les descriptions *post-mortem* de la précédente incarnation.» Dans certains cas, il a même eu accès à des rapports d'autopsie: «De tels rapports représentent sans doute la preuve la plus solide que nous ayons de la réincarnation.»

Pour étonnant que puisse paraître au premier abord l'existence de marques de naissance qu'on peut consider comme la répercussion de blessures faites dans une incarnation précédente, cette explication va pourtant dans le sens de ce que nous savons aujourd'hui de l'interaction du corps et du psychisme. À cette interaction généralement admise s'ajoute ici la dimension que représente la survivance dans le psychisme après la mort du corps, d'un traumatisme et son influence sur la formation d'un nouveau véhicule physique.

La question des marques de naissance est très importante. Si on parvient en effet à démontrer que certains traumatismes physiques sont répercutés d'une incarnation à l'autre au niveau du corps, il apparaîtra d'autant plus acceptable que des traumatismes psychiques le soient également. C'est ainsi par exemple que le Dr Stevenson dit avoir trouvé jusqu'ici vingt-trois cas de personnes qui redoutaient dans la présente incarnation les conséquences d'un suicide commis dans une incarnation précédente. Il précise même que «plusieurs de ces personnes entretenaient une phobie à l'endroit de l'instrument du suicide, tel que fusil ou poison...»

LE POINT DE VUE DE LA PENSÉE ÉSOTÉRIQUE

Dans la plupart des cas de ce genre, alors que peu de temps s'est écoulé entre deux incarnations, il s'agit le plus souvent d'entités qui doivent poursuivre une expérience de vie interrompue dans l'incarnation précédente, par suite de circonstances extérieures au plan de vie; ou encore d'entités qui doivent acquitter une dette karmique contractée au cours de la précédente incarnation. C'est ainsi par exemple que, dans l'un des cas étudiés par le Dr Stevenson, le sujet se souvient d'avoir commis un meurtre; et dans un autre, de s'être suicidé... Ce dernier cas est particulièrement tragique puisque le sujet se trouvant entraîné, comme il arrive souvent pour les suicidés, dans des schèmes d'existence semblables à ceux de l'incarnation précédente afin d'apprendre à surmonter cette tendance, finira par se suicider de nouveau.

La pensée ésotérique enseigne que c'est le corps astral, véhicule psychique de l'être – que les spirites appellent le *périsprit* – qui est le **modèle** au sens de 'matrice' du corps physique. J'ai trouvé par exemple dans une communication spirite les précisions suivantes: «Le périsprit souffre des blessures reçues par le corps matériel: c'est lui qui possède la sensibilité. Elle reste entière après la mort. Le périsprit conserve les blessures et met du temps à s'en guérir. Si une nouvelle incarnation succède de trop près à la mort, la guérison n'est pas complète et le périsprit forme mal le nouveau corps qu'il devra habiter... Il faut dire que cette précipitation, avec les suites qu'elle comporte, dépend de la volonté du destin» [1].

Le Dr Stevenson rapporte aussi que quelques-uns des sujets étudiés ont certains dons psychiques: précognition, perception télépathique, etc. Ce qui, du point de vue de la pensée ésotérique s'explique par le *déphasage* du corps astral: comme si les corps, physique et astral, n'étaient pas parfaitement imbriqués l'un dans l'autre. Or, pour se souvenir d'une existence antérieure, un certain déphasage du corps astral paraît nécessaire, ce qui est aussi souvent le cas pour que se manifestent certains dons psychiques.

DU PROCESSUS DE L'ANAMNÈSE

Dans ses entrevues avec les sujets qui font l'objet d'une étude poussée, le Dr Stevenson s'intéresse particulièrement à la façon dont se manifeste le souvenir d'une vie antérieure. Il rapporte que, dans la plupart des cas, le sujet commence d'abord par *voir* mentalement se dérouler certains événements mais sans soupçonner qu'il est en train de se souvenir... Il se demande même parfois ce que représentent ces événements dans le champ de sa conscience. À l'étape suivante de l'anamnèse, le sujet en vient à s'intéresser plus précisément à l'un des acteurs de ces événements mais auquel il ne s'identifie pas encore. Il le *voit* de l'extérieur comme s'il s'agissait d'un acteur. Enfin, il en vient éventuellement à reconnaître ces événements comme des souvenirs et à s'identifier à cet 'autre' qu'il perçoit maintenant comme un double de lui-même.

J'ai eu personnellement connaissance d'une expérience poussée de régression dans plusieurs vies antérieures qui s'est déroulée exactement selon la même structure.

[1] IN Jeanne Laval, *L'heure des révélations* (éd. de Mortagne).

Le Dr Stevenson précise que certains aspects du mécanisme d'identification ne sont pas sans évoquer ce qui se passe dans certains cas de schizophrénie ou de personnalités multiples. Pour un ésotériste, ce rapprochement n'a rien d'étonnant: certaines formes de dédoublement d'ordre psychique peuvent parfois s'expliquer par le *souvenir* d'une existence antérieure.

Le processus d'anamnèse et le mécanisme d'identification que je viens de décrire à partir des commentaires du Dr Stevenson ne sont pas non plus sans évoquer la façon dont se déroule la revue de la vie après la mort, alors que l'entité *voit* des événements de la vie qui vient de s'achever sans soupçonner non plus qu'elle est en train de se souvenir, pour ensuite s'attacher à l'un des acteurs de ces événements... auquel elle en viendra à s'identifier.

Le Dr Stevenson précise par ailleurs que l'identité de l'incarnation antérieure n'est jamais tout à fait la même que celle de la présente incarnation. Pour la raison que, d'une incarnation à l'autre, on ne peut pas être exactement le même... Ce que je suis maintenant, je ne l'ai jamais été dans une vie antérieure. Et je ne le serai jamais non plus dans une prochaine incarnation... Puisque la personnalité évolue d'une incarnation à l'autre. Le Dr Stevenson rapporte aussi que la plupart des sujets qu'il a étudiés possèdent des qualités (aptitudes, etc.) qu'ils n'ont pas eu l'occasion de développer au cours de la présente incarnation et qui sont précisément, selon les témoins interrogés, des qualités que possédaient les personnalités antérieures. Les observations du Dr Stevenson paraissent bien confirmer sur ce point ce qu'enseigne la pensée ésotérique, lorsqu'il note la persistance de similitudes mais aussi de différences entre les personnalités de deux incarnations successives. Mais le lien entre les deux paraît pourtant bien réel. «Il n'y a pas de substitution d'une personnalité par une autre, précise-t-il, mais *continuité* de l'une à l'autre.» Et plus loin, ce commentaire qui me paraît particulièrement important dans le présent contexte: «Chez la plupart des sujets, la continuité entre leur personnalité présente et celle de leur vie antérieure correspond exactement à la continuité que chacun de nous éprouve entre sa personnalité présente et celle de l'enfant qu'il a été.» Ce commentaire recoupe, encore une fois ce qu'enseigne la pensée ésotérique.

Je vous propose maintenant un résumé d'un des cas rapportés dans *Twenty Cases Suggestive of Reincarnation.* Mais je crois nécessaire de rappeler qu'on ne doit porter de jugement sur les recherches du Dr Stevenson qu'à partir de ses propres communications et non à partir du résumé forcément succinct que j'en dois faire ici.

UN EXEMPLE: LE CAS DE CORLISS CHOTKIN

Le Dr Stevenson soutient qu'un enfant n'a pour ainsi dire que trois ans pour se souvenir. Avant l'âge de deux ou trois ans, il n'a pas la capacité de s'exprimer; et après cinq ans, trop d'événements arrivent dans sa vie et il commence à oublier. En général, on peut dire que les souvenirs d'expériences de vies antérieures de même que les souvenirs de personnalités passées vont s'effacer petit à petit pour disparaître tout à fait au moment de l'adolescence.

«Lorsqu'un enfant connaît des faits dont il n'a pu avoir connaissance au cours de sa présente existence, précise le Dr Stevenson, il est difficile d'expliquer ces cas autrement que par la réincarnation.»

Plusieurs des cas retenus par le Dr Stevenson viennent de l'Orient. Sans doute les parents, dans les régions du monde où la réincarnation est culturellement acceptée, exercent-ils moins de censure lorsque leurs enfants évoquent une vie antérieure. Mais le Dr Stevenson a aussi étudié plusieurs cas d'enfants nord-américains, de milieu familial où le mot réincarnation n'est jamais prononcé et le concept lui-même à peu près inconnu, qui témoignent pourtant de la même continuité d'une incarnation à l'autre.

Corliss Chotkin était métis, né d'un père de race blanche et d'une mère amérindienne appartenant à la tribu des Tlingits en Alaska - qui sont réincarnationnistes.

En 1946 mourait un indien tlingit du nom de Victor Vincent.

Environ un an avant sa mort, alors que Victor se trouvait en visite chez sa nièce, il lui dit: «Je vais un jour revenir comme ton fils... Et j'aurai les mêmes cicatrices...» Il indiqua alors deux cicatrices très distinctes: l'une sur le bord du nez, l'autre dans le dos. Il s'agissait dans les deux cas de cicatrices causées par des interventions chirurgicales.

Dix-huit mois après la mort de Victor, sa nièce donna naissance à un fils qu'elle appella Corliss. Or, cet enfant avait à la naissance les mêmes cicatrices que son oncle. Elles ont été reconnues et authentifiées par plusieurs témoins. Ce qui ne suffirait sans doute pas à en faire un cas intéressant... Mais il se trouve qu'un jour, alors qu'il était tout jeune enfant, Corliss a spontanément demandé à sa mère: «Me reconnais-tu? Je suis Kahkody...» C'était le nom tlingit de Victor. Et un peu plus tard, il devait déclarer: «Je vous avais dit que je reviendrais...»

Au cours des années qui ont suivi, Corliss Chotkin a *reconnu* plusieurs personnes qu'il ne pouvait pas avoir connues dans la présente incarnation. Il raconta même certains incidents de la vie de Victor que personne ne connaissait et qui ont pu être vérifiés. Il a par exemple raconté qu'un jour, alors qu'il était à la pêche, son canot-moteur étant tombé en panne il avait été secouru par un bateau à vapeur, le *North Star...* Il rapportait toujours de sa vie antérieure des faits précis et dont la plupart ont pu être vérifiés.

Enfin, du point de vue psychologique, Corliss ressemble à Victor. Il a aussi plusieurs de ses aptitudes: il est par exemple très doué pour la mécanique. De plus, il bégaie et il traîne un peu les pieds... comme Victor.

LA RÉINCARNATION... DEMAIN

Après avoir consacré plus de 25 années de sa vie professionnelle à l'hypothèse de la réincarnation et à l'étude rigoureuse de ce phénomène, à quelle conclusion le Dr Stevenson est-il parvenu pour lui-même?

La phrase que j'ai citée en exergue: *«Oui, la réincarnation est une réalité»*, il l'a écrite dans une revue scientifique, le *Journal of Nervous and Mental Diseases* (août 1977).

Le Dr Stevenson ne considère pas pour autant que la réincarnation soit *prouvée.* Mais il estime qu'elle devrait l'être d'ici moins d'une quinzaine d'années.

Du point de vue scientifique, la réincarnation rend compte du plus grand nombre de faits et d'événements et leur donne la plus grande cohérence;

- elle est la plus simple des théories connues - c'est-à-dire qu'elle ne multiplie pas inutilement les hypothèses;
- elle est la plus universelle dans le temps et l'espace;
- enfin, elle aide à mieux vivre.

Si j'ai consacré plusieurs pages à la démarche du Dr Stevenson c'est qu'il me paraît celui qui est allé le plus loin dans ses recherches sur cette question difficile, et celui dont la méthodologie est la plus valable du point de vue scientifique. Il n'y a pas de doute dans mon esprit que si l'hypothèse de la réincarnation doit un jour être confirmée, nous le devrons en grande partie aux travaux du Dr Stevenson. Je partage là-dessus l'opinion exprimée par le Dr Harold Lief dans le même numéro de *Journal of Nervous and Mental Diseases:* «Ou bien il (Stevenson) fait une erreur colossale... ou bien il sera un jour considéré comme le Galilée du XXe siècle.» Et comme lui, je suis enclin à penser que le Dr Stevenson occupera un jour une place importante dans l'histoire de la pensée scientifique.

MAÎTRE K'ONG, DIT CONFUCIUS

Mon intérêt pour une philosophie de l'action m'a inspiré une recherche dans ce sens afin de redéfinir les valeurs et les principes attachés à ce que j'appelle le «modèle du guerrier».

J'entends par guerrier celui ou celle qui fait de son action dans le monde l'occasion d'un cheminement conscient et d'une croissance [1].

Depuis quelques années, je suis donc à la recherche des éléments d'une philosophie de l'action qui répondent aux besoins d'une époque, trouble mais passionnante à vivre, alors que les repères que fournissait la religion ont éclaté, et que les valeurs de la société industrielle et matérialiste sont remises en question. Ce qui se traduit, au plan collectif, par de nombreux

[1] Je reviens plus loin sur le guerrier à travers le modèle qu'en propose Maître K'ong.

errements tels que: l'éclatement de la famille, la pollution de l'environnement, la détresse des jeunes face à l'avenir, pour n'en mentionner que quelques-uns. Mais il s'agit sans doute ici des signes d'un malaise profond et nécessaire qu'entraîne la naissance d'une société nouvelle et, en particulier, de la conscience planétaire. Et, au plan individuel, par la multiplication des difficultés d'ordre psychologique qui découlent de l'épuisement des mécanismes d'adaptation et qui se traduisent d'une part par divers états de mal-être et, d'autre part, par une recherche éperdue, consciente ou non, du sens de la vie et de l'action.

De toute évidence, nous avons le plus urgent besoin d'une philosophie de l'action.

J'entends donc ici la philosophie non pas comme «un ensemble d'études, de recherches visant à saisir les causes premières, la réalité absolue...», mais plutôt comme une discipline «visant à saisir (...) les fondements des valeurs humaines» [1]. C'est dire que la philosophie ne m'apparaît pas comme un exercice spéculatif et gratuit, mais comme le moyen de chercher le sens de la vie, d'inspirer un art de vivre le quotidien et d'inciter à l'action juste. Car la réflexion philosophique doit permettre non seulement de mieux saisir les forces en jeu, dans le monde comme en soi, mais aussi d'intervenir sur les vecteurs de l'évolution. Elle m'apparaît en fait comme un préalable à l'action juste qui devient alors l'occasion d'un cheminement conscient.

C'est la vision de la réalité, du monde et de la place de l'homme dans le monde, qui permet de définir les valeurs et les principes du guerrier. Car il s'agit, encore une fois, non seulement de saisir les fondements de ces valeurs et de ces principes, mais de s'engager et d'intervenir par l'action dans tous les domaines. C'est sans doute pourquoi, que ce soit dans le domaine des sciences exactes, comme la physique et la biologie, ou dans celui des sciences humaines, comme en particulier la psychologie et la sociologie, les leaders éprouvent de plus en plus aujourd'hui le besoin d'ajouter à leur réflexion de spécialistes une dimension philosophique. C'est ainsi, par exemple, que

[1] Le Petit Robert.

définissant son propos, le biologiste Rémy Chauvin écrit: «Si je voulais être pompeux, je dirais qu'il est philosophique» [1].

Ce qui paraît manquer aux gens d'action, c'est non seulement une vision claire de la situation où nous sommes dans le monde actuel, mais aussi une réflexion sur le sens même de la vie, de la place de l'homme dans l'univers, autrement dit une réflexion philosophique qui leur inspire un véritable engagement par rapport au monde et aussi par rapport à eux-mêmes. C'est à ce besoin que paraît répondre une philosophie de l'action.

Ce que je propose dans les pages qui suivent [2], c'est donc d'entreprendre et/ou de poursuivre une réflexion au niveau du fondement même des valeurs, qui débouche sur une vision élargie et qui se traduit par l'action: une action consciente sur le monde mais d'abord sur soi, car la transformation du monde ne peut être entreprise et menée à bien qu'à travers la transformation des individus et particulièrement des élites.

Aujourd'hui je vous invite à vous familiariser avec un des niveaux de la philosophie chinoise, celui de l'en-deçà, en compagnie de Maître K'ong, dit Confucius.

LA PHILOSOPHIE CHINOISE

«La philosophie nous viendra de Chine, la science des E.U., la renaissance culturelle, poétique et artistique de l'Europe nouvelle.

«Ce sera l'âge d'or: l'avènement de l'ère du Verseau, et la reconstruction d'une nouvelle civilisation harmonieuse.» [3]

[1] «Même si je n'aime guère ceux qui font profession de philosophie. Mais je pense que chacun doit philosopher pour son compte, sous peine de rester un sous-développé intellectuel.» *Dieu des fourmis Dieu des étoiles* (éd. Le pré aux clercs).

[2] De même que dans un prochain livre-mosaïque, sous la rubrique «Philosophie de l'action».

[3] Mario de Sabato, *Prophéties jusqu'à la fin du siècle* (éd. Marabout).

Je ne pense pas, quant à moi, que la philosophie du IIIe millénaire nous vienne exclusivement de Chine. D'autres Écoles devraient aussi contribuer à alimenter notre réflexion, dont certaines ressortent à la tradition occidentale: je pense ici en particulier aux Stoïciens [1]. Cela dit, il n'y a aucun doute que la philosophie chinoise est appelée à contribuer largement à la définition d'une philosophie de l'action dont nous avons déjà le plus grand besoin à la veille du IIIe millénaire.

«La place que la philosophie a occupée dans la civilisation chinoise est comparable à celle de la religion dans d'autres civilisations. (...) Les Chinois ne sont pas religieux, parce qu'ils sont philosophes. Selon la tradition chinoise, la philosophie n'a pas pour but d'augmenter le savoir positif (j'entends par savoir positif un accroissement des connaissances se rapportant aux faits), mais d'élever l'esprit...» [2].

Il existe trois courants de la pensée philosophique chinoise: le confucianisme, le taoïsme et le bouddhisme. Dans la Chine où coexistent à un moment confucianisme et taoïsme, le bouddhisme viendra se greffer sur le taoïsme pour donner naissance à l'École du Tchan qui va plus tard devenir le zen au Japon.

Selon la tradition chinoise, l'étude de la philosophie n'est pas une profession. Chacun doit étudier la philosophie, de même qu'en Occident chacun doit en principe aller à l'église... La philosophie chinoise est donc peu spéculative et métaphysique.

La philosophie chinoise nous propose deux niveaux de réflexion: celui de l'**au-delà** et celui de l'**en-deçà.**

La philosophie de l'au-delà répond au désir de tout individu de s'interroger sur l'existence d'une dimension du réel qui se définit au-delà du monde matériel, que ce soit dans l'une ou

[1] Dans les prochains numéros, je me propose de poursuivre cette démarche pour une philosophie de l'action avec les maîtres à penser de cette École: Marc-Aurèle, Épictète, Sénèque...
[2] Fong Yeou-Lan, *Précis d'histoire de la philosophie chinoise* (éd. Le Mail).

l'autre perspective: de la vie après la mort ou de l'existence ici et maintenant d'une réalité supérieure.

Quant à la philosophie de l'en-deçà, elle a pour objet d'indiquer la voie qui permet à l'individu de parvenir à **l'excellence dans l'action,** non pas seulement en vue d'une plus grande efficacité, ce qui pourtant n'est pas exclu, mais surtout afin de mieux servir la société, le monde, les autres, et de parvenir ainsi à sa propre réalisation. C'est une philosophie qui insiste sur les données sociales telles que les relations, les affaires humaines et qui s'occupe directement ou indirectement du gouvernement – qu'on peut aussi entendre au sens large de gestion dans les institutions publiques ou privées et dans les entreprises – et de l'éthique.

La philosophie de l'en-deçà s'intéresse principalement à la qualité de l'individu dans la société, plutôt qu'à sa relation à l'univers. Ce qui ne signifie pas que le niveau supérieur du fonctionnement humain soit exclu de la réflexion. Mais, selon la philosophie de l'en-deçà, il paraît souhaitable, pour la plupart d'entre nous, de s'employer plutôt à poursuivre une démarche consciente et positive au niveau de l'en-deçà, en sachant que le progrès à ce niveau entraîne nécessairement le progrès au niveau de l'au-delà, par suite de la répercussion de l'expérience et de l'évolution de la conscience d'un plan sur l'autre.

Nous avons aujourd'hui en Occident le plus grand besoin d'une philosophie de l'en-deçà. De toute évidence, nos philosophies occidentales ne répondent plus aux exigences de notre époque: elles sont trop spéculatives, trop abstraites, et mal adaptées en particulier aux exigences qu'entraînent les changements rapides auxquels nous sommes soumis; et surtout, elles ne sont pas en mesure de nous fournir les modèles dont nous avons besoin, au plan collectif, pour redéfinir nos valeurs et, au plan individuel, pour inspirer des attitudes justes qui se traduisent par un art de vivre le quotidien et un engagement authentique dans l'action pour servir.

Je vous propose donc de cheminer en compagnie du maître incontesté de la philosophie chinoise du niveau de l'en-deçà:

Maître K'ong, dit Confucius.

MAÎTRE K'ONG, DIT CONFUCIUS [1]

Si le monde marchait droit, je ne chercherais pas à le changer. XVIII.6

Maître K'ong vivait, lui aussi, à une époque trouble. D'où sans doute le sentiment qu'il avait de la nécessité, comme à toutes les périodes de grandes mutations, de se replier sur la morale et l'éthique afin que l'individu reprenne le contrôle de sa vie et qu'il agisse dans l'intérêt commun.

On trouve dans son enseignement de quoi alimenter notre réflexion sur certains concepts modernes, tels que celui de la co-évolution de l'individu, de l'entreprise et de la société.

Par choix, Maître K'ong est un maître à penser du niveau de l'en-deçà. «... s'il est d'accord pour reconnaître, avec les Taoïstes proprement dits, que le dernier mot de la sagesse c'est probablement de vivre en paix dans la montage, il pense que l'avant-dernier, c'est de transformer le monde», écrit Etiemble [2].

Il n'y a pas de jargon d'école dans son enseignement. Il se souciait plutôt des expériences vécues que des références autoritaires.

Essentiellement pragmatique, son enseignement se fonde sur des vertus morales et civiques: son enseignement était une sagesse appliquée: une discipline, expression d'une morale.

Pour lui, on ne naît pas *junzi*/homme de qualité, mais on le devient par l'étude et la discipline.

[1] K'ong Fou-Tseu, dont le nom latinisé est devenu pour l'Occident: Confucius (551-479 av. J.-C.)
[2] IN Préface de *Les Entretiens de Confucius,* traduction de Pierre Ryckmans, (éd. Gallimard). C'est à cette traduction que j'emprunte la plupart des citations qui suivent, tout en prenant la liberté de recourir à une certaine uniformisation. J'ai par exemple choisi, pour rendre le mot chinois *junzi* qu'on traduit tantôt par «honnête homme», tantôt par «homme supérieur» ou «homme accompli»..., l'expression «homme de qualité» qui, selon Etiemble «marque mieux la révolution politico-morale proposée par Maître K'ong.»

Cette exigence, il l'a pour lui-même. Sa philosophie réclame d'être d'abord vécue par lui. Il doit en être lui-même le véhicule dans son action. Car pour Maître K'ong, aussi, ***le messager est le message*** .

Il ne prêche rien qu'il n'ait d'abord mis en pratique. II.13

La doctrine de Maître K'ong est celle d'une École des chefs. Son enseignement met l'accent sur la discipline qui doit rendre les hommes habiles à gouverner.

Maître K'ong enseigne l'importance de l'action: de l'engagement. Le guerrier doit s'engager, c'est-à-dire se mettre au service des autres, de la société, du monde. Il estime même, par exemple, qu'il est «contraire à la justice» de refuser les charges publiques.

Toute sa vie, Maître K'ong espéra lui-même réaliser dans l'action son idéal de réformes politique et sociale. A la fin de sa vie, il reconnaîtra avoir échoué dans la mesure où aucun des hommes de pouvoir de l'époque n'a fait appel à lui pour mettre en pratique ses principes dans l'organisation politique.

Car, pour Maître K'ong, s'occuper quotidiennement des affaires de la société n'est pas une tâche étrangère au sage. Elle est non seulement nécessaire mais représente une occasion de se réaliser sur tous les plans.

«Maître K'ong veut résoudre le problème que pose ce monde difficile par la seule morale», écrit Etiemble [1]. Une morale fondée sur un ordre en mouvement qui recommande un constant effort sur soi-même. Il s'agit ici, comme on dirait aujourd'hui, d'une morale naturelle qui se traduit par une éthique. C'est en cela surtout que Maître K'ong me paraît actuel: en cette époque de mutation, alors que les repères sont flous, il nous faut redécouvrir le sens de l'éthique et redéfinir nos conduites personnelles.

Il enseigne qu'on doit **«cultiver les intentions droites».**

[1] Ibid.

Maître K'ong enseigne que l'univers est un «Grand Un»: tout élément (être, événement...) doit donc être considéré comme partie de l'univers. D'où l'importance qu'il accorde à la qualité de la relation avec les autres, avec la nature et avec le cosmos.

Bien qu'il fut et demeure un Maître à penser du niveau de l'en-deçà, la dimension spirituelle est aussi présente, de façon implicite, dans son enseignement: il s'agit de s'éduquer sans relâche, d'être un homme de qualité et d'appliquer l'enseignement à l'action, jusqu'à n'être plus qu'un avec l'univers. Et ainsi de parvenir à la sagesse, au sens où la pensée traditionnelle l'entend, c'est-à-dire à la réalisation du Soi: «À soixante-dix ans, écrit Fong Yeou-Lan, il permit à son esprit de suivre tous ses désirs; et pourtant, tout ce qu'il faisait était naturellement juste par soi-même. Ses actions n'avaient plus besoin d'un guide conscient. Il agissait sans effort. Cela représente le dernier stade dans le développement du sage» [1].

Ce qui m'intéresse surtout chez Maître K'ong, c'est le modèle qu'il propose du ***guerrier dans l'action.*** J'ai donc ordonné les citations et les commentaires de façon à définir ce modèle.

Junzi/L'homme de qualité

Le *junzi*/homme de qualité est le modèle proposé par Maître K'ong. C'est ce que j'appelle le modèle du guerrier qui s'accomplit, se réalise lui-même, par son action dans le monde.

L'homme de qualité tend à l'«excellence»: il ne se permet pas de s'inquiéter, de se croire emporté par les événements, de se sentir écrasé par le poids des choses. Les échecs, les épreuves, les difficultés de l'existence sont à ses yeux autant d'occasions de se réaliser:

L'homme de qualité reste calme et serein. VIII-36

[1] Ibid.

Maître K'ong mettait l'accent sur une démarche de généraliste plutôt que de spécialiste. Un disciple lui demande:

«Que pensez-vous de moi?
– Tu es un *k'i,* répondit Maître K'ong, c'est-à-dire: un outil, quelqu'un qui ne sert qu'à une fin; par conséquent, tu n'es pas encore un homme de qualité.»

Maître K'ong croit en l'homme, mais en l'homme éveillé à ses responsabilités. Il croit aussi en l'action de l'homme, mais en l'action qui passe d'abord par la transformation personnelle que suscitent l'étude et la pratique – bref, la discipline.

Rares sont ceux qui pèchent par discipline. IV.23

Afin de définir plus précisément le modèle d'homme qu'il propose, Maître K'ong recourt à une opposition entre deux types: «l'homme de qualité», celui qui a le courage «d'aller jusqu'au bout de son coeur»; et l'autre, «l'homme frustre» ou «l'homme vulgaire» (dans le Yi King), ou encore «l'homme de peu» – formules que dans les oppositions, je rends par «l'autre» [1].

L'homme de qualité n'écrase personne. Il se comporte avec dignité, jamais avec orgueil. L'autre, lui, agit toujours par orgueil, jamais avec dignité. XIII-26

L'homme de qualité est large d'esprit, sans parti pris. L'autre est mesquin et sectaire. II-14

Ce que l'homme de qualité convoite est en lui-même. Ce que l'autre convoite est dans les autres. XV-20

L'homme de qualité ne se réalise pas dans des vétilles. Il doit porter des responsabilités. L'autre, lui, ne peut recevoir de grandes charges. Il n'est capable que de travaux serviles. XV-33

[1] Il est évident que je prends ici le mot homme dans son sens générique. Les enseignements de Maître K'ong s'adressent aujourd'hui, dans notre contexte, aussi bien aux femmes qu'aux hommes. Mais je crois nécessaire de rappeler que tel n'était pas le cas à l'époque... Autre temps, autres moeurs. C'est à nous qu'il revient aujourd'hui de «changer le monde», comme l'enseignait Maître K'ong, sans chercher à refaire le sien, en tirant de son enseignement la meilleure part, afin de refaire plutôt le nôtre, qui en a bien besoin, ici et maintenant!

L'homme de qualité cultive l'harmonie, mais pas la conformité. L'autre cultive la conformité, mais pas l'harmonie. XIII.23

L'homme de qualité remonte sa pente, l'autre la descend. XIV.23

L'homme de qualité rougirait de promettre plus qu'il ne tient. XIV.27

Le modèle que nous propose Maître K'ong est un mystique engagé dans l'action, un guerrier au sens noble du terme, un chef: il éveille, il organise, il guide.

L'homme de qualité met l'accent sur la discipline. Mais la discipline doit s'entendre ici comme l'expression d'une éthique, d'une conduite.

Voici certaines des règles de conduite du guerrier dans l'action:

Ne recherchez pas l'amitié de ceux qui ne vous valent pas. Quand vous commettez une faute, n'ayez pas peur de vous corriger. I.8

Un homme dépourvu d'humanité ne saurait supporter longtemps ni l'adversité ni la prospérité. IV.2

Les hommes désirent tous la richesse et les honneurs; mais pour en jouir, ils ne devraient pas sacrifier leurs principes. Les hommes ont tous horreur de la pauvreté et de l'obscurité, mais pour y échapper, ils ne devraient pas sacrifier leurs principes. IV.5

Dans les affaires du monde, l'homme de qualité est sans parti pris: il se range à ce qui est juste. IV.10

D'un disciple qu'il estimait, le Maître dit: «Il ne se laisse jamais emporter par son humeur, ni ne commet deux fois la même faute». VI.3

Être compétent et demander conseil à l'incompétent; savoir beaucoup et consulter celui qui sait peu; faire passer son avoir pour du non-avoir et sa plénitude pour du vide; rester indifférent aux affronts - j'avais autrefois un ami qui s'appliquait à ce genre de discipline. VIII.5

Ne vous affligez pas de votre obscurité; affligez-vous de votre incompétence. XIV.30

Bien sûr que l'homme de qualité peut tomber dans la détresse. Dans la détresse, seul l'autre se laisse démonter. XV.2

L'homme de qualité est droit, mais pas rigide. XV.37

L'homme de qualité doit être autonome et **responsable:** il répond de ses actes, il en subit les conséquences. Il n'en reporte pas la responsabilité sur les autres, «sur les dix mille cantons»:

Si je suis coupable, que ma faute ne retombe pas sur les dix mille cantons. Si les dix mille cantons sont coupables, que leur faute retombe sur moi seul. Si le peuple faute, que sa faute retombe sur moi seul. XX.1

Voyez pour quoi un homme agit, observez comment il agit; examinez ce qui fait son bonheur. Que pourrait-il vous cacher? Que pourrait-il encore vous cacher? II.10

Il est droit: tout marche sans qu'il doive rien commander. Il n'est pas droit: il a beau commander, nul ne le suit. XIII.6

Qui observe la rectitude, quel mal aurait-il à gouverner? Qui ne sait se gouverner soi-même, comment pourrait-il gouverner les autres? XIII.13

De l'étude et de la pratique

L'étude...

La formation/information/transformation de l'homme de qualité prend appui sur l'étude.

Pourquoi? pourquoi? Celui qui ne se demande pas pourquoi? je me demande, moi, pourquoi l'enseigner? XV.15

Si l'administration vous laisse des loisirs, étudiez. Si l'étude vous laisse des loisirs, administrez. XIX.13

N'est-ce pas une joie d'étudier, puis, le moment venu, de mettre en pratique ce que l'on a appris? I.1

> **Ceux dont le savoir est inné constituent une catégorie supérieure. Puis viennent ceux dont le savoir fut acquis par l'étude. Puis ceux qui se sont mis à étudier parce qu'ils se trouvaient dans une mauvaise passe. Tout en bas, il y a les gens qui se trouvent dans une mauvaise passe, mais qui n'étudient pas.** XVI.

... et la pratique

Mais l'étude doit se traduire dans l'action par une pratique: des pensées justes, des paroles justes, des actions justes.

> **Chaque jour, je m'examine plusieurs fois: me suis-je fidèlement acquitté de mes engagements? Me suis-je montré digne de la confiance de mes amis? Ai-je mis en pratique ce qu'on m'a enseigné?** I.4

La rectification des noms

> **Ce qui est nécessaire en premier lieu, c'est la rectification des noms.** XIII,3

Maître K'ong pensait qu'il fallait d'abord procéder à ce qu'il appelait «la rectification des noms», pour qu'une société fut bien ordonnée.

Les noms, les mots – le langage. Il doit exister un accord entre le langage et la réalité. Les mots comportent des implications. Le premier pas vers la transformation du monde consiste précisément, selon Maître K'ong, à redéfinir le rapport, à rectifier les relations entre les mots et les faits.

Une question qui peut nous sembler secondaire. Mais elle ne l'est pas pour la philosophie chinoise qui a même connu une École des Noms dont l'objet n'était pas, du reste, sans rapport avec celui, aujourd'hui, de la Sémantique Générale qui étudie le langage considéré du point de vue du sens jusque dans l'application à la vie sociale.

Le langage, à notre époque, devrait faire l'objet d'un examen sérieux. Car le discours social qui est le nôtre souffre gravement d'inflation et de distorsion. Nous sommes à la fois soumis à la surinformation et à la désinformation. D'une part nous assistons, avec la multiplication des différents médias, à une véritable logorrhée [1]. Nous ne vivons pas la vie, nous la parlons. Nous parlons la politique, l'économie, le social; nous parlons les relations de couple, l'éducation des enfants, la paix dans le monde... Sans compter que les événements les plus insignifiants font parfois l'objet d'une redondance qui crée la confusion dans les esprits. Jules Renard écrivait dans son Journal [2]: «À force d'expliquer quelque chose, on finit par n'y plus rien comprendre...» D'autre part, par-delà le délire verbal de l'audio-visuel – qui participe du même phénomène – se pose la question du sens. Que voulons-nous dire au juste lorsque, par exemple, nous disons: «éduquer», «les autres», ou «la paix»...? Quel concept recouvre les mots? quelle réalité? quelle intention cachent les mots que nous employons? Les mots comportent aussi le risque d'entraîner vers l'abstraction, dont Carl Jung disait qu'elle représente à notre époque le plus grand piège pour la civilisation occidentale. Mais déjà, au XVIIIe siècle, Diderot écrivait: «On a donné trop d'importance et d'espace à l'étude des mots, il faut lui substituer aujourd'hui l'étude des choses.» Cette tendance serait donc universelle... Une chose est certaine: à l'âge de la communication, nous sommes loin de la transparence – dont nous parlons beaucoup... Au fait, que voulons-nous dire quand nous disons «transparence»? Talleyrand aimait rappeler que «la parole a été donnée à l'homme pour cacher sa pensée». C'est bien à quoi sert le plus souvent le discours social: à cacher les pensées, les motivations obscures, les intentions secrètes... Mais surtout quelle attitude ou quelle action supposent les mots? quelle responsabilité? quel engagement? Bref, quelle conduite personnelle?

Maître K'ong enseignait qu'il faut retrouver le sens véritable des mots et les traduire en action. Autrement dit, les paroles justes doivent exprimer des pensées justes et se traduire en actions justes. Car l'homme de qualité veille toujours à conformer ses paroles à ses actions.

[1] «Flux de paroles inutiles; besoin irrésistible, morbide de parler.» Le Petit Robert.
[2] (Éd. Gallimard).

Ce principe s'étend aussi à la **responsabilité** dans les relations sociales que représentent les titres tels que ministre, directeur, p.d.g., père... Ce ne sont pas des mots sans implications, sans responsabilités que ceux/celles qui les portent doivent assumer.

L'homme ne doit pas parler pour parler. XI.13.

L'homme de qualité est lent à la parole et prompt à l'action. IV.24

En ce qui concerne son langage, l'homme de qualité ne laisse rien au hasard. XIII.3

Les discours habiles compromettent la vertu. L'impatience dans les petites choses compromet les grands desseins. XV.27

Comme le rappelait Hannes Alfven, prix Nobel de Physique en 1970 [1], il devrait être interdit d'utiliser les mots à contre-sens: «La sémantique est une science très importante. Il se peut que ceux qui luttent pour la paix perdent tous les débats parce qu'ils acceptent la sémantique des agresseurs. Par exemple, l'arme nucléaire la plus agressive utilisée en première frappe est appelée «le gardien de la paix». De plus, en réalité, la guerre des Étoiles n'a que très peu à voir avec la «défense» stratégique. Il s'agit surtout d'un projet visant la construction d'une «troisième génération» d'armes nucléaires encore plus meurtrières. (...) Mais, plus important, les armes nucléaires sont en général agressives et ont peu à voir avec la «défense». Si l'on respectait le sens des mots, leur coût ne devrait pas être imputé au «ministère de la Défense». Il devrait être financé par un nouveau ministère, que Confucius aurait appelé le «ministère du Massacre de la population civile». Il serait intéressant de voir des parlements débattre du nombre de milliards de dollars qui devraient être affectés au massacre de la population civile.»

[1] IN *Promesses et menaces à l'aube du XXIe siècle* (éd. Odile Jacob), ouvrage collectif paru à la suite de la Conférence des lauréats du prix Nobel à Paris du 18-21 janvier 1988.

Li/Les rites

> ***Li*/les rites s'enracinent dans le grand UN.**
> *Li Ki* (Le Livre des Rites), VII-4.

Une notion complexe qui découle de la connaissance, intuitive surtout, des lois du cosmos sous-jacentes à toutes les manifestations, et de l'observation de la Nature.

L'ordre préside à la vie sur tous les plans: révolution des sphères, cycle des saisons... La structure du cosmos doit donc se réfléchir sur la terre et la société obéir à la même grande et unique loi. L'ordre du ciel doit s'étendre à la multiplicité des fonctions, des rôles, etc.

Maître K'ong croyait en la nécessité d'une hiérarchie. L'importance que nous accordons aujourd'hui à l'égalité et à la liberté ne doit pas nous faire perdre de vue la nécessité d'une organisation structurée. Ce qui suppose une ritualisation de la vie qui doit se répercuter dans le quotidien et présider aux relations humaines.

Dans la pensée de Maître K'ong, les rites dépassent donc l'aspect superficiel de cérémonie, de rituel, de convenance, de politesse, sans pourtant les exclurent. Il enseigne que les rites ont une fonction sociale: ils contrôlent, tempèrent, disciplinent tout le multiple; ils soumettent à une règle d'unité les sursauts de l'instinct, les impondérables, les impulsions et les répulsions, les antipathies ou les sympathies. «Sans les rites, enseigne le Tao-tö king, le respect n'est que tyrannie, la prudence que timidité, la franchise que rudesse, le courage que turbulence.»

Les rites, en permettant de vivre en accord avec les lois cosmiques, orchestrent les rapports humains. Ils déterminent les convenances, les gestes et les attitudes. Ils remplissent le rôle de pivot: ils stabilisent. Ils déterminent en général les conduites personnelles: les rites sont en fait l'expression d'une éthique.

> **Ne pas connaître les rites signifie ne pas avoir les moyens de se tenir debout. Affermissez-vous dans les rites.** VIII.8.

On comprend qu'il dise:

> **On gouverne un pays par les rites.** XI.26

La filiation

Le mot filiation doit s'entendre ici au sens large de lien de continuité entre le passé et l'avenir, puisque nous sommes issus les uns des autres.

L'individu n'est pas le résultat d'une génération spontanée. Il représente une étape de la continuité. Ce qui doit se traduire, d'une part, par le respect des aînés, du passé et des racines; d'autre part, par le souci de transmettre aux jeunes le savoir et l'expérience.

> **L'homme de qualité œuvre à la racine; celle-ci une fois assurée, l'ordre moral naît. La piété filiale et le respect des aînés sont les racines mêmes de l'humanité.** I.2

Mais il existe aussi une filiation des idées, des événements, des valeurs. La conscience de cette filiation donne une vue d'ensemble et permet de situer les idées les unes par rapport aux autres, de même que de comprendre les événements dans leur continuité, et l'évolution des valeurs dans une perspective nécessaire pour une action juste. C'est à la fois la conscience des racines (l'origine) et des branches (le devenir).

À notre époque de changement rapide, nous n'avons guère le sentiment d'une continuité mais plutôt d'une discontinuité. Dans cette fuite en avant, l'expérience semble ne plus avoir d'intérêt et le passé est balayé... Nous avons perdu la conscience de nos racines, ce qui se traduit par un douloureux sentiment d'aliénation.

Redécouvrir la filiation, c'est retrouver le sens de la continuité.

L'enseignement

Transmettre, c'est enseigner, c'est éduquer. C'est le moyen d'assurer «la suite du monde»: développer la conscience de la continuité en contribuant à la formation/information/transformation de ceux qui suivent, par la transmission du savoir et de l'expérience. L'homme de qualité doit donc, surtout dans la seconde partie de sa vie, assurer la continuité. Ce qui suppose qu'il s'engage dans une forme ou une autre d'enseignement.

Maître K'ong se considérait lui-même comme un enseignant.

Je transmets, je n'invente rien. VII.1

Qui peut extraire une vérité neuve d'un savoir ancien a qualité pour enseigner. II.11

Je n'éclaire que les enthousiastes; je ne guide que ceux qui brûlent de s'exprimer. Mais quand j'ai soulevé un angle de la question, si l'élève n'est pas capable d'en déduire les trois autres, je ne lui répète pas la leçon. VII.8

Jen/La compassion

Qu'est-ce que *jen?* C'est aimer les hommes. XII.21

Jen est un des mots qui revient le plus souvent dans les Entretiens de Maître K'ong. On le traduit le plus souvent par «bonté humaine» ou «vertu parfaite». Mais le mot qui paraît le plus juste est compassion.

Je crois qu'il faut se reporter ici à l'enseignement d'une autre École de pensée orientale, l'hindouisme, pour éclairer la pensée de Maître K'ong sur ce point.

Pour l'hindouisme, de même d'ailleurs que pour le bouddhisme, la compassion est une vertu qui correspond à l'éveil de la conscience au niveau du quatrième chakra, celui du coeur. Selon l'enseignement de ces Écoles de pensée, il existerait sept chakras ou centres d'énergie correspondant à autant de niveaux de conscience. Qu'il s'agisse d'une métaphore ou d'une réalité importe peu dans le présent contexte. J'aurai du reste l'occasion de revenir sur cette question [1].

[1] Dans le prochain livre-mosaïque de la présente collection je consacre plusieurs pages à l'éveil, l'ouverture du quatrième chakra dans l'article: «La Voie... c'est les autres».

En quelques mots, les niveaux de conscience que représentent les chakras se répartissent entre les deux pôles de la nature humaine que sont, au plan inférieur, l'animalité et, au plan supérieur, la divinité. Chacun se définit en fait à tous les niveaux à la fois mais plus ou moins selon le degré de son évolution. Un être moins évolué se définit donc davantage au niveau des chakras inférieurs correspondant à l'animalité; un être plus évolué, au niveau des chakras supérieurs correspondant à la divinité. Il faut savoir qu'à l'étape de l'évolution de la conscience collective où nous sommes parvenus la plupart se définissent surtout par rapport aux trois chakras inférieurs qui correspondent respectivement à l'instinct, à la sexualité et au pouvoir... L'ouverture du quatrième chakra qui, lui, correspond au coeur, suppose essentiellement **l'éveil de la compassion.** Bien que Maître K'ong ne recourt pas à cette grille, c'est bien pourtant de la même chose dont il s'agit lorsqu'il affirme que l'homme de qualité est un être qui se définit ou qui tend à se définir au niveau de *jen*/la compassion.

> **L'homme de qualité ne peut, le temps d'un clin d'oeil, oublier la compassion sans cesser d'être un homme de qualité.** IV.5
>
> **Un disciple demanda:**
> **«En quoi consiste la vertu suprême?**
> **– Aimer les autres.**
> **– En quoi consiste la connaissance?**
> **– Connaître les autres.»** XII.22
>
> **L'homme de qualité considère le bien universel et non l'avantage particulier, tandis que l'autre ne voit que l'avantage particulier et non le bien universel.** II.14

Cette étape représente aux yeux de Maître K'ong le résultat d'un cheminement exigeant:

> **Un disciple dit: «Je ne veux pas faire à autrui ce que je ne voudrais pas qu'on me fît.» Le Maître lui répondit: «Allons donc! Tu n'en es pas encore là!»** V.12
>
> **J'ai toujours entendu dire que l'homme de qualité s'employait à secourir les besogneux, non pas à enrichir les riches.** VI.4
>
> **Sévérité envers soi-même et indulgence envers les autres tiennent le ressentiment à distance.** XV.15

> **L'homme de qualité est exigeant envers soi, l'autre est exigeant envers autrui.** XV.21

Tchong et *chou*

Dans la pratique, la compassion s'exerce sous deux aspects:

- *tchong* – ce qu'on doit faire:

Faites aux autres ce que vous voulez qu'on vous fasse...

> **L'homme qui possède la compassion est celui qui, en désirant s'affermir lui-même, affermit les autres, et qui, en désirant se développer lui-même, développe les autres.** VI.28

Notons en passant que Maître K'ong insiste sur l'importance de travailler d'abord sur soi. C'est en fonction du progrès du guerrier sur la Voie que s'éveille en lui la compassion. Sinon, on pourrait prendre pour de l'altruisme le désir inconscient de renforcer sa propre identité.

- ... et *chou* – ce qu'on doit éviter:

... ne faites pas aux autres ce que vous ne voulez pas qu'on vous fasse.

> **Être capable de partir de soi-même pour en tirer par parallélisme une règle de conduite envers autrui, c'est ce qu'on peut appeler la pratique de la compassion.** VI.28

Tchong et *chou,* c'est ce que les confucianistes ont appelé le «principe de l'équerre» selon lequel il faut user de soi-même comme d'un étalon pour régler sa conduite à l'égard des autres.

On trouve dans le *Li Ki* (Le Livre des Rites), écrit par les confucianistes au IIIe et au IIe siècles av. J.C., un passage qui résume d'une façon admirable la pensée de Maître K'ong sur le principe de l'équerre:

> **Ne faites pas, en employant vos inférieurs, ce qui vous déplaît chez vos supérieurs. Ne faites pas, en servant vos supérieurs, ce qui vous déplaît chez vos inférieurs. Ne faites pas, pour devancer ceux qui sont en arrière, des**

choses qui vous déplaisent chez ceux qui sont en avant. Ne faites pas, pour atteindre ceux qui sont en avant, des choses qui vous déplaisent chez ceux qui sont en arrière. Ne faites pas vis-à-vis de la gauche ce qui vous déplaît à droite. Ne faites pas vis-à-vis de la droite ce qui vous déplaît à gauche. C'est là ce qu'on appelle le principe d'application de l'équerre.

Du service aux autres

La compassion se traduit nécessairement par le service aux autres.

L'homme est un animal social. Mais plus encore: nous sommes tous les éléments d'un même ensemble, du même «Grand Un». Nous existons en fait les uns pour les autres. L'homme ne peut être lui-même qu'en cessant d'être seul. La qualité de la relation aux autres est donc capitale aux yeux de Maître K'ong. On trouve dans ses aphorismes de quoi alimenter notre réflexion et renouveler notre engagement envers les autres – les proches, la société, le monde, la planète...

Au moment où, après la vague de la «me generation», nous assistons à la redécouverte des autres, de l'importance de vivre consciemment les uns pour les autres, d'agir de manière à répondre aux besoins des autres afin de donner un sens à sa propre vie, les réflexions de Maître K'ong arrivent à point.

Jen-yi

La compassion doit en particulier se traduire par la pratique de *yi* /la justice.

La justice ne s'entend pas ici au sens romain ou juridique d'une fidélité à un système de lois, mais au sens premier du mot: «Juste appréciation, reconnaissance et respect des droits et du mérite de chacun» [1]. Ce qui suppose d'adopter envers les autres **l'attitude juste** qui définit l'homme de qualité: des pensées justes, des paroles justes, des actions justes.

[1] Le Petit Robert.

La justice représente le devoir de l'homme de qualité par rapport aux autres et à la société: le «tu dois». «Tout homme doit dans la société, écrit Fong Yeou-Lan [1], faire certaines choses, et il doit les faire pour elles-mêmes, car elles sont les choses moralement justes à faire. S'il les fait pour d'autres motifs, d'ordre non moral, son action ne relève plus de la justice, bien qu'il ait fait ce qu'il devait faire.»

Autrement dit, dans un esprit de justice et non de profit.

> **L'homme de qualité comprend la justice, l'autre comprend le profit.** IV.16

Le sens de la justice éveillé par la compassion impose même à l'homme de qualité d'endosser des responsabilités et des devoirs sociaux. L'enseignement de Maître K'ong a des résonances politiques: la compassion doit, à ses yeux, se traduire par un engagement dans une doctrine d'économie politique et de redressement social. La mystique de Maître K'ong s'engage.

Le mot 'politique' au masculin signifie tout ce qui est relatif à la cité, à la société, à son organisation, au gouvernement de l'État.

Mais l'enseignement de Maître K'ong se rapporte en fait au monde de l'action en général. C'est un enseignement pour l'École des chefs. Il propose un modèle d'organisation de la société humaine, qui prend appui sur des chefs de qualité.

> **Pour un homme de qualité, servir l'État reste un devoir, même s'il sait d'avance que la vérité ne prévaudra jamais.** XVIII.7

> **La raison pour laquelle l'homme de qualité s'engage dans la politique est qu'il considère cela comme juste, quoiqu'il sache que son principe ne pourra prévaloir.** XVIII.7

[1] Ibid.

Le guerrier dans l'action a une mission à remplir. Il ne fuit pas le monde. Il s'engage dans sa transformation. Il cherche à l'ordonner.

> **Promouvez les hommes intègres et placez-les au-dessus des gens retors – le peuple vous soutiendra. Mais si vous placez les gens retors au-dessus des hommes intègres, le peuple cessera de vous soutenir.** II.19
>
> **Gouvernement est synonyme de droiture. Si vous menez droit, qui osera ne pas marcher droit?** XII.17
>
> **Ne cherchez pas à hâter les choses. Ne poursuivez pas de petits avantages. En cherchant à hâter les choses, on manque le but, et la poursuite des petits avantages fait avorter les grandes entreprises.** XIII.17
>
> **Quand le gouvernement a des principes, servez-le. Servir un gouvernement sans principes, voilà qui est une honte.** XIV.1
>
> **Quand le gouvernement a des principes, parlez droit et agissez droit. Quand le gouvernement est sans principes, agissez droit, mais parlez prudemment.** XIV.3
>
> **Qui ne se préoccupe pas de l'avenir lointain, se condamne aux soucis immédiats.** XV.12
>
> **Il ne suffit pas d'atteindre le pouvoir à force d'intelligence, encore faut-il le conserver à force de vertu, sinon ce qui aura été obtenu sera inévitablement perdu. Il ne suffit pas d'atteindre le pouvoir à force d'intelligence et de le conserver à force de vertu, encore faut-il gouverner avec dignité, sinon le peuple sera insolent.** XV.33

Ming/Le destin

Est-ce que telle action, telle entreprise va réussir?

Selon Maître K'ong, il est inutile de se poser la question. Car la réponse ne dépend pas de nous. Ce qui dépend de nous, c'est de faire ce que nous devons faire. Mais, alors de qui ou de quoi dépend la réponse?

De *ming*.

Ming est souvent traduit par **destin:** c'est, plus précisément, la totalité des conditions et des forces existant dans l'univers; «le décret du ciel, la volonté supérieure» que Maître K'ong concevait comme une force ayant un but.

Se trouve ici posée la question du sens de l'action individuelle par rapport aux forces de l'univers.

Le succès de toute entreprise humaine, de toute activité suppose qu'elle aille dans le sens du destin, autrement dit que les conditions et les forces de l'univers soient favorables à cette entreprise ou à cette activité. Mais il se trouve, par ailleurs, que nous sommes incapables de prévoir l'évolution du destin avec certitude, les conditions et les forces qu'il représente échappant complètement à notre contrôle. Le monde est ce qu'il est, il va comme il va, il devient ce qu'il devient... Cette vision commande donc d'agir avec un certain détachement, le mieux étant de ne pas se préoccuper, ou le moins possible, du succès ou de l'échec de nos entreprises mais de **faire ce qui doit être fait.** L'objet de l'action ne se trouve pas dans l'action même, ni dans le succès, ni dans le profit; mais dans le fait que l'action juste est le moyen pour celui qui l'accomplit de s'éveiller, de s'accomplir, de se réaliser. Si nous faisons notre devoir, nous ne pouvons jamais échouer puisque, en définitive, notre action est juste. Le succès de toute entreprise se trouve en fait dans l'action juste. Non pas dans le but mais dans le mouvement vers le but, que représente l'action. Qu'elle aille ou non dans le sens des conditions et des forces de l'univers n'est pas de notre ressort. Qu'elle réussisse ou non...

Reconnaître la réalité du destin est une aptitude de l'homme de qualité. Elle consiste à avoir conscience de l'existence des conditions et des forces de l'univers; et, sans se troubler, à faire ce qui doit être fait.

> **Qui ne connaît le destin ne peut pas être un homme de qualité.** XX.2

Le détachement que suppose cette connaissance nous libère de l'inquiétude quant à la réussite et de la crainte quant à l'échec.

L'homme de qualité est libre de doutes; le vertueux de préoccupations; le courageux de craintes. IX.27

Autrement dit, il est heureux:

L'homme de qualité est toujours heureux; l'autre est triste.

La Voie *UNE*

Pour Maître K'ong la Voie est Une. Le cheminement à l'un ou l'autre niveau: de l'au-delà et de l'en-deçà, est équivalant. Il s'agit toujours en fait de la recherche et de l'expérience de l'Un.

On peut supposer que Maître K'ong s'était interrogé pour lui-même sur l'alternative que représente le cheminement à l'un ou l'autre niveau. Mais, à dire vrai, le choix s'impose de lui-même. Car le destin individuel dépend aussi des conditions et des forces de l'univers. Il n'y a donc, en définitive, qu'à cheminer là où on se trouve. Mais pour celui qui chemine au niveau de l'en-deçà, comme c'est le cas pour la plupart d'entre nous, il s'agit de faire de ce cheminement... une Voie véritable.

Nul ne songerait à sortir autrement que par la porte. Pourquoi les gens cherchent-ils à marcher en dehors de la Voie? VI.17

Maître K'ong nous invite à percevoir au travers de la multiplicité, dans le relatif de l'en-deçà, une unité sous-jacente, un absolu.

Telle est la démarche que propose la philosophie de l'en-deçà de Maître K'ong, une démarche qui passe par l'action, mais une action juste dans le multiple, qui permet d'atteindre l'Un.

Fong

L'enseignement de Maître K'ong prenait appui sur les six Livres de Sagesse de la tradition chinoise dont le *Yi King* (Le Livre des Transformations).

Le *Yi King* est un livre très ancien: de divination au départ, qui allait devenir un livre de sagesse. Par les soixante-quatre hexagrammes qui le composent [1], il véhicule autour de la notion de transformation un enseignement qui représente l'essentiel de la philosophie chinoise.

Le *Yi King* permet donc de prévoir/prévenir l'évolution du destin mais surtout, dans toutes les conditions, les circonstances, de permettre au guerrier dans l'action de trouver l'attitude juste.

L'un des hexagrammes du *Yi King:* ***Fong*** (no 55) *L'abondance, la plénitude,* résume bien l'enseignement de Maître K'ong. En quelques formules, il propose au guerrier un programme qui se définit sur deux plans:

à l'extérieur – le mouvement/l'action
à l'intérieur – la clarté/la lumière.

«Clarté (ou lumière) au-dedans, mouvement (ou action) au-dehors produisent grandeur et abondance. **Ce que représente l'hexagramme est une époque de haute civilisation.»**

L'hexagramme *Fong* suggère, à l'intérieur, de devenir transparent à soi-même, autrement dit clair, lumineux; et, à l'extérieur, d'agir, d'être mouvement et action, d'intervenir sur les vecteurs de l'évolution, sur le devenir du monde – d'en être le cocréateur conscient.

Mais c'est surtout de l'interaction d'un plan sur l'autre dont il s'agit ici: de l'extérieur sur l'intérieur et réciproquement. Car l'hexagramme précise que c'est par une action juste dans le monde qu'on devient plus clair, plus lumineux à l'intérieur; et que, par ailleurs, c'est en devenant plus clair, plus lumineux à l'intérieur qu'on devient capable d'une action juste dans le monde.

[1] Le même nombre que les cases du jeu d'échec qui offre aussi une très belle métaphore de la transformation. Certains discernent une troublante homologie avec les 64 codons, formés de triplets de bases azotées, qui composent le code génétique du vivant.

On pourrait aussi définir ce principe par l'opposition et la complémentarité de la **contemplation** et de l'**action.**

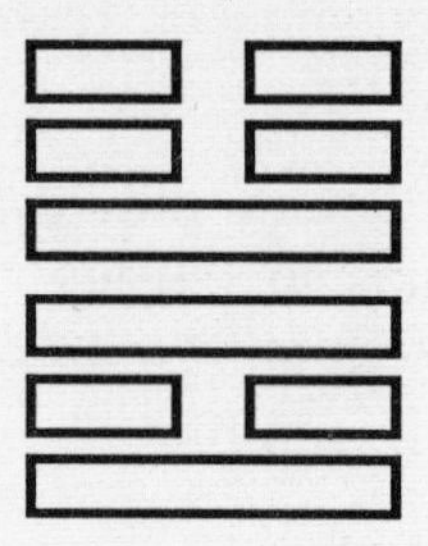

Étonnante synthèse, ramassée dans un symbole composé de six traits, qui évoque la dialectique de la démarche alchimique selon laquelle c'est en intervenant à l'extérieur, au niveau de l'opus: de la transformation de l'œuvre, que l'alchimiste travaille en fait à sa propre transformation, laquelle, en retour, lui permet d'agir plus efficacement au niveau de l'œuvre même...

Ce que je fais par mon action dans le monde contribue à me faire. Je deviens à l'intérieur ce que je fais à l'extérieur. Le travail sur l'opus revient en fait au travail sur soi. C'est ainsi que l'action devient lumière.

Tel est, en résumé, le sens de la démarche du guerrier dans l'action qui agit sur le monde pour s'atteindre lui-même.

LA MARCHE

«Oui, la panacée existe! Sans doute aimerions-nous que ce fut une potion, une vitamine, un gadget... Elle existe pourtant, mais... *c'est une foule de petites choses!*»

La panacée, elle se trouve dans une meilleure alimentation, dans l'exercice, la relaxation, la méditation... Et dans ce qu'on définit comme la rectification des représentations mentales. Car se sont surtout les émotions négatives et les sentiments qui en découlent qui entraînent la plus grande perte d'énergie.

Le mot clé de la panacée est justement ***l'énergie.*** *Comment ne pas épuiser son énergie? comment refaire le plein?*

Cette rubrique concerne donc la ***diététique*** *au sens large d'****art de vivre,*** *autrement dit les règles de vie qui permettent de mieux se porter, de fonctionner avec le moins de ratés possibles.*

*Aujourd'hui: l'****exercice*** *et plus particulièrement la* ***marche.***

CE QU'IL FAUT SAVOIR... SUR LA MARCHE

> **«... si, imitant cette Nature que nous appelons la nourrice et la mère du tout, on ne permet jamais au corps de demeurer au repos, si constamment on lui imprime quelque agitation, il saura toujours se défendre naturellement contre les mouvements intérieurs ou extérieurs. (...) Or, parmi les mouvements du corps, le meilleur est celui qui naît en lui par son action propre.»**
> Platon, *Timée.*

Je ne m'autoriserais pas à vous inciter à marcher davantage et à profiter de la marche pour renouer avec la nature, si la nécessité de l'exercice et d'un contact régulier avec la nature n'avait fait à un moment, chez moi, l'objet d'une prise de conscience déterminante qui a transformé ma vie. Il m'aura fallu en venir à une dépression, vers la quarantaine, pour redécouvrir mon corps et la nature... Comme quoi il faut parfois toucher le fond, comme on dit, pour commencer à comprendre.

Cet éveil, à la faveur de ma dépression, je le dois à Madame Languirand, mon épouse, qui le même jour m'a offert deux cadeaux: un Bouddha et un chien. Et depuis maintenant plus de 15 ans, je consacre à peu près autant de temps chaque jour à l'un comme à l'autre, c'est-à-dire aux deux aspects indissociables de moi-même – comme de chacun de nous – qu'ils représentent.

Il n'y a pas une journée où je ne marche dans la nature plus d'une heure avec mon chien. C'est l'engagement que j'ai pris avec lui. J'aime dire parfois que *j'use,* ces années-ci, mon deuxième chien... Plus d'une heure, donc, et par tous les temps; souvent même deux fois par jour et, une fois la semaine, une longue marche de trois heures en forêt, qui devient l'hiver du ski de randonnée...

La marche, c'est un moment que je m'offre pour me retrouver dans mon corps et pour reprendre contact avec la nature. Les arbres, l'herbe ou la neige. Avec le temps qu'il fait... Et avec moi-même.

Si je devais choisir la plus importante parmi toutes les techniques qui entrent dans la *panacée,* ce serait la marche.

La marche est l'activité physique fondamentale: le meilleur médicament pour le corps et pour l'esprit. Car la mobilité, c'est la vie.

Hélas! nous ne marchons plus.

On invoque le manque de temps. On trouve la marche fatigante. Ou c'est le temps qui ne convient pas: il fait toujours trop chaud ou trop froid... Il pleut, il neige, il vente... Ou encore, la télévision nous sollicite. Et on remet la marche au lendemain. Car l'être humain est un animal qui peut tout justifier. C'est ainsi que, d'un jour à l'autre, on renonce à la marche. Alors, pour se déculpabiliser, on se dit: pendant les vacances... Ah! Tout ce qu'on va enfin pouvoir faire pendant les vacances!

Et les années passent. Le corps perd de plus en plus de sa mobilité: il s'engourdit, s'ankylose. La sédentarité, c'est la démission, la grande immobilité. Mais l'immobilité, c'est la mort.

La vie sédentaire est une des causes du vieillissement prématuré de l'organisme. La raideur physique est un signe de vieillissement. Elle finira bien par s'imposer un jour ou l'autre; mais l'exercice, justement, permet de ralentir le processus du vieillissement. Toutes les recherches faites sur le vieillissement du corps et de l'esprit le confirment: c'est l'exercice qui permet le mieux d'en ralentir le processus.

Et parmi les exercices: la marche.

La marche fait travailler l'ensemble des muscles. Elle permet d'entretenir toutes les fonctions physiologiques: circulation, respiration, digestion et excrétion; de même que la fonction nerveuse. La marche est aussi le meilleur exercice pour effacer la fatigue nerveuse. Des recherches ont démontré qu'une marche de cinq kilomètres a pour effet de réduire l'anxiété, la tension, de même que la pression artérielle.

Parmi les nombreuses recherches faites ces dernières années sur les effets de la marche, il s'en trouve une qui m'intéresse plus spécialement: sans doute parce qu'elle porte sur une comparaison entre la consommation d'un aliment sucré (gâteaux, tablettes de chocolat, ...) et une marche rapide de dix minutes, comme source d'énergie... Comme j'ai moi-même longtemps entretenu l'habitude de consommer un aliment sucré à un moment ou à un autre de la journée pour combattre la fatigue – ce qui d'ailleurs n'a pas manqué de favoriser ma tendance à l'obésité – on comprendra que cette recherche ait éveillé mon intérêt.

Cette recherche, qui s'est étendue sur plusieurs années, portait plus généralement sur l'effet de la marche sur les humeurs. Elle permit de démontrer, entre autres, qu'une marche d'une dizaine de minutes, d'un pas alerte, produit le même effet immédiat, physiologique et psychologique, que la consommation d'une tablette de chocolat. Mais après une heure, alors que l'effet positif de la marche se fait toujours sentir et pour encore plus d'une heure, non seulement celui de la tablette de chocolat est terminé mais, au contraire, une réaction négative apparaît: somnolence, fatigue, tension... Ce qui s'explique par le fait que la consommation de sucre a d'abord sur l'organisme un effet énergisant mais qui, peu après, entraîne par réaction un effet contraire, par suite de la sécrétion de certaines substances biochimiques telles que, entre autres, la sérotonine...

Pour ce qui est de l'effet, en général, de la marche sur les humeurs, voici ce que cette recherche permet d'affirmer:

- une marche de dix minutes, d'un pas alerte, suffit pour modifier l'humeur morose, faire paraître les problèmes moins graves, rendre plus optimiste;
- une marche de vingt minutes, d'un pas moyen, produit le même effet.

Dans les deux cas, l'effet à court terme est d'environ deux heures.
Quant à l'effet bénéfique à long terme, physiologique et psychologique, il se fait sentir après environ 3 semaines, que l'on marche dix minutes par jour d'un pas alerte ou 20 minutes d'un pas moyen, mais à la condition de marcher régulièrement tous les jours [1].

[1] Cette recherche a été dirigée par Robert E. Thayer ph. d., professeur de psychologie à l'Université de la Californie (Long Beach).

Dans les états de mal-être, on rencontre souvent une certaine difficulté dans la coordination des mouvements. La marche redonne harmonie et coordination, agissant par répercussion sur le psychisme.

La marche permet aussi d'intervenir au niveau des émotions et des pensées **négatives**.

Les émotions sont des manifestations énergétiques qui se traduisent dans le corps par des modifications du fonctionnement glandulaire et nerveux. Lorsqu'on refoule une émotion, c'est donc une charge énergétique qu'on bloque, créant ainsi des tensions aussi bien physiques que psychiques. Le corps devient alors un véritable carcan. La marche, en intervenant au niveau du corps, entraîne par répercussion un déblocage des émotions au niveau psychique.

La marche permet aussi d'apaiser les pensées. Je prends ici le mot au sens restreint de verbalisation mentale, dont on est assez peu conscient, et que l'on confond même parfois avec **la** pensée. Cette verbalisation alimentée par les émotions et les sentiments fait que «ça» pense dans la tête: véritable tourbillon d'images du passé, de projections dans l'avenir, de commentaires divers, souvent paranoïdes: de regrets, d'inquiétudes, qui s'apparente à une forme de délire... C'est le cercle vicieux du mental – qui a du reste, la même racine que *menteur.*

L'exercice en général permet non seulement de diminuer les états de mal-être, ce qui est déjà très important, mais il favorise les états de bien-être par la sécrétion de substances biochimiques dont en particulier les endorphines qui, en plus de soulager la douleur et plus généralement les tensions, génèrent un sentiment de contentement, parfois même de ravissement et d'extase...

La marche, enfin, permet de développer la conscience du corps, si on est attentif à son mouvement, et la *présence à soi* ici et maintenant – autrement dit, la **conscience d'être.**

Il m'est apparu à un moment que les effets bénéfiques de la marche recoupent, dans une certaine mesure, ceux de la méditation... Il ne manque à la marche pour devenir une véritable pratique méditative qu'une technique de concentration [1].

• • •

«La Voie, celle de l'au-delà, de l'ici-maintenant, est sous vos pieds.»
Koan zen

[1] C'est cette technique, que les circonstances m'ont permis de définir, que je propose dans l'article qui suit, à la rubrique: TECHNIQUES D'ÉVEIL.

MÉDITER EN MARCHANT

La technique de méditation en marchant que je vous propose est relativement simple et d'une grande efficacité. Elle repose sur la différence entre **voir** (l'ensemble) et **regarder** (un point en particulier). Elle consiste simplement à voir plutôt qu'à regarder. Mais il s'agit en fait d'exercer un contrôle non pas sur la vue – qui assure toujours à la fois les deux fonctions: voir et regarder – mais sur l'a**ttention.** Cette technique consiste à élargir l'attention à l'ensemble de ce qui est perçu, donc à ce qui est vu, plutôt que de la restreindre à ce qui est *regardé.* Autrement dit, pour employer un langage plus technique, il s'agit de dissocier l'attention de la vision restreinte assurée par la *fovea centralis* (et, relativement, par la *macula oblongata)* pour l'investir dans le champ visuel élargi, en fonction de la *vision périphérique.*

Je connais, pour l'avoir pratiquée, la technique inspirée du Vipassana [1] qui consiste, pendant la marc*he ralentie,* à être attentif au moindre mouvement du corps. Mais j'étais à la recherche d'une technique qui permettrait, *pendant la marche normale,* d'apaiser le fonctionnement du mental, de favoriser la conscience du corps de même que la **présence à soi.**

[1] Technique bouddhique de méditation.

CE QU'IL FAUT SAVOIR SUR *LA VUE*

Pour l'exposé qui suit, je m'inspire des notes de cours que j'ai donnés pendant plusieurs années en communication à l'Université McGill, dont certains portaient sur la perception sensorielle.

La vision se définit à trois niveaux:

• La *fovea:*

zone restreinte où la vision est la plus nette, mais de 3° à 4° seulement, qui permet de focaliser.

• La *macula*:

zone où la vision est moins nette que celle de la fovea, mais de 12° à 15° en largeur et de 15° à 18° en hauteur, et de forme ovoïde.

• La *vision périphérique:*

zone où la vision est encore moins nette, mais dont le champ est d'environ 160° à 180°.

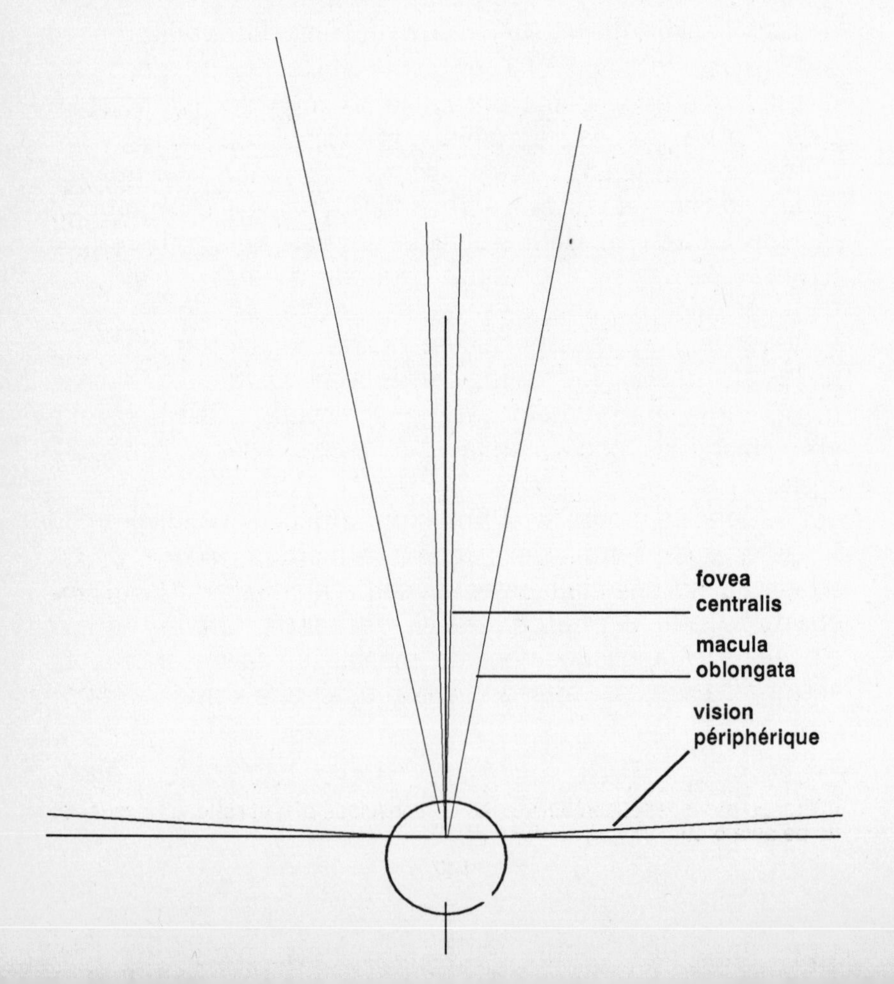

La perception au niveau de la *fovea* et de la *macula* est assurée par les cônes qui permettent de percevoir la forme et les couleurs; alors que la perception au niveau de la vision périphérique est assurée par les bâtonnets qui permettent de percevoir le mouvement. Ce dernier point est important dans la mesure où la perception du mouvement n'est pas que visuelle mais aussi de nature spatiale, donc associée à l'expérience tactile. La vision périphérique contribue donc aussi à **se percevoir dans l'environnement.**

Les différents niveaux de perception visuelle font l'objet d'un collage par le cerveau, ce qui donne l'impression d'une expérience unifiée.

Comme on le voit, il s'agit d'une question complexe. Je ne vais retenir pour la suite de cet exposé que les informations démontrant la différence entre la perception visuelle assurée par la fovea (et la macula) – **regarder** – et celle qui est assurée par la vision périphérique – **voir.**

Afin de bien saisir cette différence, il est capital d'en faire soi-même l'expérience. Je vous suggère donc de constater

a) que la vision focalisée, assurée surtout par la fovea, est restreinte: il suffit de regarder un objet, qu'il soit proche ou éloigné, pour constater qu'on n'en perçoit avec netteté qu'une toute petite partie;

b) et qu'il est possible de prend**re conscience de la vision périphérique** en élargissant le champ de l'attention des deux côtés à la fois sans bouger les yeux.

Telle est, en somme, la différence entre **regarder** – vision restreinte et v**oir** – vision élargie.

Et telle est, par ailleurs, la différence au niveau de l'expérience visuelle entre **l'attention active** – regarder; et **l'attention passive** – voir.

Regarder est donc associé à l'attention active; voir, à l'attention passive [1].

[1] Deux expressions, en langue anglaise, rendent particulièrement bien la différence entre l'attention active: «to be conscious of», et l'attention passive: «to be aware of».

Je viens d'en faire encore une fois l'expérience. J'ai d'abord levé les yeux pour regarder une fleur qui se trouve dans un vase sur ma table de travail; puis, sans cesser de regarder cette fleur, j'ai élargi le champ de mon attention en fonction de la vision périphérique, de façon à voir d'un côté la porte et de l'autre la fenêtre, devenant ainsi conscient – mais au sens anglais de «aware» – de la totalité du champ visuel.

Méditer en marchant consiste précisément à élargir le champ de l'attention en fonction de la vision périphérique: donc, à voir plutôt qu'à regarder, passant ainsi de l'attention active à l'attention passive.

Or, chaque fois que j'élargis ainsi le champ de l'attention, passant de l'attention active à l'attention passive, je constate:

- que l'environnement ne me paraît plus être à l'extérieur de moi, mais que je me perçois, au contraire, à l'intérieur – augmentant ainsi mon sentiment de participation;
- qu'il m'est plus facile, lorsque mon attention correspond à la vision périphérique, de prendre conscience de mon corps, de ma présence ici et maintenant, et d'être conscient de moi-même, **conscient d'être;**
- enfin, qu'il m'est plus facile, aussi, d'apaiser le fonctionnement du mental: dans la mesure où l'attention passive est soutenue, «ça» cesse de parler dans ma tête...

Élargir le champ de l'attention en fonction de la vision périphérique représente donc, à toutes fins utiles, une technique de méditation.

LORSQUE L'EXPÉRIENCE VISUELLE S'APPARENTE À L'EXPÉRIENCE AUDIO-TACTILE

Passer de l'attention active, correspondant à la vision de la fovea, à l'attention passive, correspondant à la vision périphérique, entraîne une modification au niveau même de la perception sensorielle: l'expérience que l'on fait de l'environnement et de sa relation à l'environnement n'est plus à proprement parler de nature **visuelle,** bien qu'elle soit déterminée par la vue, mais, relativement, de nature **audio-tactile.**

Je m'explique:
Lorsque je *regarde,* je me perçois à l'extérieur de ce que je regarde – depuis un point de vue; mais, au contraire, lorsque je *vois,* je me perçois à l'intérieur de ce que je vois.

Regarder particularise, détache l'observateur de l'objet observé; **voir** généralise, globalise, rattache l'observateur à l'environnement.

Voir est, par rapport à regarder, comme **entendre,** par rapport à écouter.

Je suis à l'intérieur de ce que j'entends. Je participe de ce que j'entends. De même, je suis à l'intérieur de ce que je vois. Je participe de ce que je vois.

Or, dans la mesure où, dans l'expérience de **voir,** l'oeil n'est plus actif mais devient passif, où l'attention elle-même n'est plus active mais passive, où l'observateur ne se perçoit plus à l'extérieur mais à l'intérieur de l'environnement, l'expérience visuelle s'apparente alors à l'expérience audio-tactile. Et c'est pourquoi d'ailleurs il suffit de passer de l'attention active à l'attention passive pour qu'il soit relativement facile de prendre conscience de son corps dans l'environnement, de sa présence ici et maintenant – de devenir conscient d'être [1].

UNE EXPÉRIENCE DE BIOFEEDBACK

Il y a quelques années, un ami neurologue m'a invité à faire une expérience de biofeedback dans son laboratoire.

[1] Pour plus de précisions sur la différence entre l'univers du visuel et celui de l'audio-tactile, voir le chapitre «Le toucher» de mon livre *Vivre ici/maintenant,* tiré d'une série télévisée (éd. Société Radio-Canada/Minos).

Cette expérience m'a permis de constater que, lorsqu'on passe de l'attention active (regarder) à l'attention passive (voir), les ondes émises par le cerveau vont du tracé **bêta,** associé à l'état d'éveil et à la conscience ordinaire, au tracé **alpha,** associé à la relaxation, à la méditation et à la créativité.

Raccordé à un électroencéphalographe (EEG), je devais m'entraîner à exercer un contrôle sur les états favorables à l'émission d'ondes *alpha* par le cerveau. L'expérience consistait à identifier ces états afin de pouvoir ensuite les recréer, suscitant ainsi à volonté l'émission d'ondes alpha.

Le cerveau produit différentes ondes qu'un appareil, l'électroencéphalographe (EEG), permet d'enregistrer.

- Le tracé ***bêta*** correspond à la conscience ordinaire. Il apparaît normalement à l'état de veille, lorsque le sujet a les yeux ouverts.

- Le tracé ***alpha*** correspond à un état d'esprit éveillé mais détendu, alors que le sujet est au repos et qu'il se trouve entre la veille et le sommeil. C'est un état associé à la relaxation, à la méditation, mais aussi à la créativité sous toutes ses formes. Il se produit généralement lorsque le sujet a les yeux fermés.

- Le tracé ***thêta*** correspond à un état d'endormissement, parfois même à certaines étapes du sommeil, mais aussi à la figuration créative et à la spéculation profonde.

- Enfin, le tracé ***delta,*** qui apparaît dans le sommeil profond.

La méditation et les techniques apparentées suscitent naturellement l'émission d'ondes *alpha.*

Il suffit, en fait, que le sujet ferme les yeux pour que le cerveau émette des ondes alpha; par ailleurs, si on est en état de relaxation, il en émettra davantage; enfin, si on parvient à faire le vide mental par suite de la concentration de *l'attention passive* sur un objet mental, comme dans la méditation, il en émettra encore plus.

Après avoir fait les expériences habituelles: fermer les yeux, me relaxer, suspendre le fonctionnement du mental..., avec le résultat escompté, je me suis mis à modifier le champ de mon attention, **les yeux fermés mais comme s'ils étaient ouverts,** passant ainsi de l'attention active, correspondant à la vision restreinte de la fovea, à l'attention passive, correspondant à la vision périphérique. Or, chaque fois que mon attention correspondait au champ élargi de la vision périphérique, mon cerveau émettait surtout des ondes alpha – ce qui était dans l'ordre des choses puisque j'avais les yeux fermés; mais chaque fois que mon attention correspondait à la vision restreinte de la fovea – **et bien que j'eusse les yeux fermés** – mon cerveau émettait surtout des ondes *bêta...*

Voulant pousser plus loin l'expérience, je me suis alors appliqué à restreindre et à élargir alternativement le champ de l'attention, mais cette fois **les yeux ouverts.** Le résultat de cette variante me parut encore plus significatif: bien que rien ne permît aux observateurs de constater une modification au niveau de mon attention, allant de l'attention active à l'attention passive, autrement dit, passant de la vision restreinte de la fovea au champ élargi de la vision périphérique, mon cerveau émettait davantage d'ondes alpha.

J'en conclus que, *même si on a les yeux fermés,* lorsque l'attention correspond à la vision restreinte de la fovea, le cerveau émet davantage d'ondes bêta; mais que, par ailleurs, *même si on a les yeux ouverts ou, de préférence, entrouverts,* lorsque l'attention correspond au champ élargi de la vision périphérique, le cerveau émet davantage d'ondes alpha.

Ce qui revient à dire que le fait d'émettre des ondes bêta ou alpha ne découle pas seulement de ce qu'on a les yeux ouverts ou fermés; mais qu'**il est possible de modifier les tracés, selon que l'attention est active ou passive, et ce, que l'on ait les yeux ouverts ou fermés...**

Cette expérience de biofeedback m'a donc appris qu'il est possible d'émettre des ondes alpha les yeux ouverts, et encore davantage les yeux entrouverts, à la condition d'élargir l'attention en fonction de la vision périphérique. Ce qui revient à dire que, ce faisant, on se trouve en état de méditation.

C'est sur cette observation que repose la technique de méditation en marchant que je suggère.

En résumé, il s'agit de voir plutôt que de regarder, en élargissant le champ de l'attention en fonction de la vision périphérique; et de garder ainsi l'attention passive.

J'ai trouvé, depuis, quelques confirmations de l'exactitude de cette observation.

DE LA PRATIQUE DE *ZAZEN*...

Dans la pratique de **zazen** – la méditation dans la tradition du bouddhisme zen – on accorde la plus grande importance à la posture qui, à une étape, devient l'objet même de la concentration. La méditation prend alors appui sur la conscience du corps dans l'environnement, une expérience essentiellement tactile. Je crois nécessaire de rappeler ici que le sens du toucher est complexe par définition: il comprend, entre autres, le *sens musculaire* qui permet de percevoir la position du corps, autrement dit de **se percevoir dans l'environnement.**

Il se trouve, par ailleurs, que zazen se pratique **les yeux entrouverts,** ou plus précisément, comme l'écrit Marc de Smedt: «... le regard mi-clos, mi-intérieur, mi-extérieur» [1] – formule très heureuse. Il s'agit ici, en effet, de restreindre la vue et d'étendre le champ de l'attention devenue passive, en fonction de la vision périphérique, ce qui a pour effet, comme on l'a vu plus haut, de favoriser la perception audio-tactile et tout ce qu'elle implique: la conscience du corps, la présence à soi ici et maintenant, la conscience d'être... Autrement dit, de **tourner le regard vers l'intérieur,** vers le sujet.

[1] IN *Questions de: méditer et agir,* numéro 75 (éd. Albin Michel).

Je n'arrive plus à me souvenir où j'ai lu que les myopes... – si vous me permettez cette digression qui n'est peut-être pas sans rapport – ...les myopes, donc, sont en général plus «sensuels»: audio-tactiles, par la force des choses! Un ami – myope, comme on va le voir – à qui je communiquais, avec un certain sourire, cette 'tautologie' m'assura avec chaleur qu'il en était bien ainsi pour la raison que les myopes, ne parvenant pas à voir le monde distinctement, chercheraient à en confirmer la réalité par le toucher...

De là à se demander dans quelle mesure les myopes, audio-tactiles par définition, n'auraient pas une meilleure image de leur corps? Peut-être aussi une meilleure conscience de leur corps? Est-il permis de penser que les myopes auraient plus de facilité... à développer la 'présence à soi'? Ces questions, je le sens bien, me portent à me laisser dériver...

Il n'y a pas de doute, en effet, que restreindre la vue, soit en fermant les yeux, soit en les gardant mi-clos, soit même en déplaçant l'attention en fonction de voir plutôt que de regarder, favorise la perception audio-tactile qui, à son tour, favorise la conscience du corps, qui favorise la présence à soi et la conscience d'être... Pour délirante que puisse paraître cette audacieuse association, elle n'en est pas moins confirmée par les travaux de l'anthropologue canadien Edmund Carpenter, longtemps associé à ceux de Marshall McLuhan, sur la perception sensorielle et la communication, et qui est absolument formel sur ce point: restreindre le sens de la vue – ce que faisaient, selon lui, les jeunes hippies de l'époque, devenant ainsi des audio-tactiles en conflit avec leurs parents, visuels – a pour effet d'intérioriser la perception qui, de l'objet (extérieur) se tourne vers le sujet (intérieur); a même pour effet de *l'orientaliser* – l'expression est de lui. C'est à quoi je pensais chaque fois qu'il m'a été donné, depuis, de découvrir des photos de Maîtres spirituels d'Orient nous les montrant les yeux mi-clos. Ces Maîtres sont, de toute évidence, des audio-tactiles: pour eux la réalité n'est pas à l'extérieur mais à l'intérieur; leur conscience n'est pas tournée vers l'objet à l'extérieur d'eux-mêmes, mais vers le sujet à l'intérieur, et leur démarche vise à développer la présence à soi, la conscience d'être – principe de la réalisation du Soi.

...À LA TRADITION DES ARTS MARTIAUX

J'ai aussi trouvé la confirmation de cette observation dans les arts martiaux.

La différence entre voir et regarder est même l'une des règles du *Bushido* définies par le grand Maître japonais Miyamoto Musashi [1], dont il nous est sans doute possible, parvenus à cette étape de notre démarche, de mieux saisir la portée.

«Les samouraïs doivent (...) aiguiser les deux fonctions de leurs yeux: **voir et regarder** [2] et ainsi n'avoir aucune ombre. (...) La position doit permettre de voir largement et vastement. Entre voir et regarder, **voir est plus important que regarder.** L'essentiel dans la tactique est de voir ce qui est éloigné comme si c'était proche et de voir ce qui est proche comme si c'était éloigné. L'important dans la tactique est de connaître le sabre de l'adversaire, mais de ne pas regarder du tout ce sabre adverse. Méditez bien là-dessus. Cette position des yeux convient aussi bien dans la tactique du simple duel que dans une bataille. (...) **Le premier point est de savoir regarder de côté sans bouger les pupilles.** Toutes ces positions ne peuvent être acquises d'un seul coup dans les moments d'urgence. Donc, ayez bien en tête tout ce que j'ai écrit jusqu'ici, **gardez bien cette position des yeux dans la vie quotidienne et en toutes occasions ne modifiez pas la position de vos yeux.** Réfléchissez bien à tout cela.»

Il n'y a pas de doute que Musashi parle bien ici de la même chose. Lorsqu'il dit: «Voir est plus important que regarder...», il ne peut s'agir que de la différence entre la vision restreinte de la fovea (regarder) et la vision périphérique (voir).

Telle est, en somme, la technique de la méditation en marchant.

C'est ainsi qu'au moment où j'écris ces lignes, je fais à l'occasion une pause et, pendant quelques secondes, j'élargis le champ de mon attention. Ce qui a pour effet de suspendre un

---

[1] *Traité des cinq roues* (éd. Albin Michel, coll. Spiritualités vivantes).
[2] Souligné par moi.

moment le fonctionnement de mon mental et de prendre conscience de mon corps, de ma présence ici et maintenant, d'être conscient de moi-même.

UNE LEÇON DE CHASSE... ET DE MARCHE

C'est en gros ce que je racontai – c'est-à-dire tout ce que j'ai exposé jusqu'ici – à quelques amis, une fin d'après-midi, il y a de ça bien des années, alors que nous prenions un scotch et que circulait un joint de colombien, dans une ambiance fraternelle... Après un moment de silence, l'un d'eux, chez qui nous étions, déclara:

«Mais c'est très exactement de cette façon que chassent les Indiens!»

C'est, bien entendu, des *Amérindiens* dont il parlait.

Nous étions chez Serge Deyglun qui tenait à l'époque la chronique de *Chasse et pêche* au journal *La Presse* [1].Deyglun avait donc eu maintes fois l'occasion de chasser avec des guides indiens.

De ce qu'il nous dit en cette fin d'après-midi, j'ai retenu les informations suivantes:

Les chasseurs indiens r*egardent* dans la direction où ils vont mais ils *voient* tout ce qui se passe autour d'eux. On pourrait même croire qu'ils voient «derrière eux».

Ils voient en fait *globalement,* c'est-à-dire «comme on entend»: comme on tourne l'attention vers un son ou un autre, de

[1] Je ne résiste pas au plaisir de rapporter ici ce que Roger Lemelin a écrit à propos de Serge Deyglun dans son livre *Autopsie d'un fumeur* (éd. Stanké): «...Ce garçon, un être exquis, fort cultivé, devait m'appeler plus tard tous les jours à *La Presse* dont j'étais l'éditeur, où il tenait une excellente chronique de chasse et pêche...»

même les Indiens dirigent leur attention vers un point ou un autre du champ visuel sans nécessairement tourner les yeux.

Tout se passe, chez eux, comme si **voir et entendre** ne faisaient qu'un, comme si leur perception était globale, comme si un seul organe percevait l'environnement.

Enfin, précisa Deyglun, tout se ramène chez eux à l'expérience tactile au sens large, l'organe de perception globale étant tout le corps qui, par ailleurs, fait un avec l'environnement. Car tout se passe comme s'il n'y avait pas de séparation entre le chasseur et l'environnement.

À force d'observer les Indiens, de chasser et de vivre avec eux, Deyglun en était venu à se comporter comme eux. Mais je précise qu'il n'avait reçu d'eux aucun enseignement, au sens où nous entendons le mot. C'est par imitation qu'il se comportait comme eux. Ou plutôt peut-être par suite d'une certaine osmose. Au point du reste que, pour le petit gibier, il n'épaulait pratiquement jamais son fusil. Dès qu'il voyait bouger une feuille ou qu'il entendait un son, ou encore qu'il percevait un mouvement dans le champ global de sa perception, il redressait son fusil et, tout en le maintenant appuyé sur la hanche, il tirait dans la direction d'où était venue... l'information.

Deyglun nous a aussi confié que, lorsqu'il se comportait avec une certaine rigueur, étendant le plus possible le champ de l'attention passive, son mental se trouvait suspendu: «ça» ne pensait plus dans sa tête... Et qu'il était alors conscient de lui-même, conscient de son corps formant un tout avec l'environnement, conscient de sa présence...

...Ce ne sont pas, bien sûr, les mots qu'il a employés, car à l'époque personne d'entre nous ne s'était encore familiarisé avec le genre de démarche qu'ils évoquent, mais ceux que j'ai découverts depuis pour définir de telles expériences. C'est bien, pourtant, ce dont il parlait: de la conscience du corps, de la conscience de l'environnement... Et c'est bien aussi du vide mental et de la présence à soi qui en découle.

Et chaque fois qu'il ne parvenait pas à maintenir le champ élargi de l'attention, nous confia-t-il, il se retrouvait «dans sa tête», au niveau du mental... Il devait alors faire l'effort de se rappeler à lui-même. Et le moyen auquel il recourait – et qu'il venait pour la première fois d'identifier – consistait précisément à élargir le champ de l'attention en fonction de la vision périphérique et d'une perception globale de l'environnement.

UNE TECHNIQUE DE RAPPEL À SOI

J'ai depuis entrepris une démarche qui m'a valu à un moment de découvrir les techniques de **rappel à soi** de George I. Gurdjieff [1], qui visent à éveiller la *conscience d'être.* Car nous sommes rarement conscients de nous-mêmes. Le plus souvent, nous nous définissons au niveau de la conscience ordinaire, sans être conscients d'être.

Aux techniques de rappel à soi qu'on trouve d'ailleurs non seulement chez Gurdjieff mais, comme je devais aussi le découvrir, dans d'autres Écoles de sagesse, je suggère d'ajouter celle que j'ai tenté de définir dans cet exposé.

En résumé, cette technique peut se ramener à la formule que j'ai proposée au début: **dissocier l'attention de la vision restreinte de la fovea *(regarder)* et l'investir dans le champ élargi de la vision périphérique *(voir).***

J'estime, pour en avoir souvent fait l'expérience, qu'elle est d'une très grande efficacité... À propos d'efficacité, il est peut-être utile que je parle brièvement, en terminant, du rôle de la respiration. Je suggère, au moment d'élargir l'attention à la vision périphérique, d'inspirer lentement, puis d'expirer plus rapidement. L'inspiration favorise la concentration, alors que l'expiration entraîne souvent une diffusion de l'attention. Comme en témoigne un des principes de la lecture rapide: on retient mieux...

[1] Une partie de son enseignement est communiquée dans le livre de Peter Ouspensky, *Fragments d'un enseignement inconnu* (éd. Stock). On peut aussi trouver aujourd'hui des 'groupes Gurdjieff' qui diffusent son enseignement.

ce qu'on inspire! C'est la raison, du moins je le suppose, pour laquelle, dans certaines pratiques méditatives, celle de zazen en particulier, on demande de mettre plutôt l'accent sur l'expiration – afin sans doute de compenser la tendance à la diffusion de l'attention, parvenant ainsi à une concentration plus égale. Mais il demeure que chaque fois qu'on a du mal à concentrer son attention, il faut s'appuyer sur l'inspiration, le temps de reprendre le contrôle de la concentration, pour ensuite s'appuyer au contraire sur l'expiration, ce qui rend la concentration plus stable [1].

Voir, c'est la technique de méditation que j'associe plus particulièrement à la marche, mais qui trouve aussi à s'appliquer à peu près à toutes les situations de la vie.

[1] La respiration est un sujet capital que je me propose d'aborder dans un prochain article de la présente collection de livres-mosaïques.

Dans le Nº 2:

Le Nouvel Âge
ou «Avez-vous autre chose à proposer?»

«La Voie... c'est les autres!»

***Dart Vader:* prototype du bureaucrate**

La nourriture et les états modifiés de conscience

Rubriques

La panacée
Une alimentation pour contrôler le stress

Re-cyclopédia
Alan Watts et l'expérience psychédélique

Suite
La vie dont vous êtes le héros
(seconde étape)

... ET PLUS!

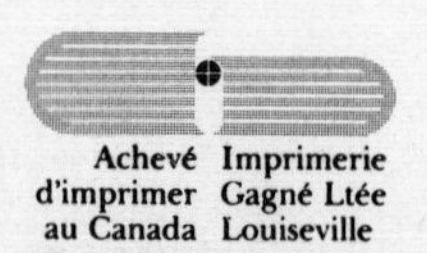
Achevé d'imprimer au Canada
Imprimerie Gagné Ltée Louiseville